アメリカの子どもはこう学ぶ

英語がどんどん聞き取れる！

リスニンガールの耳ルール30

Listenin Girl

はじめに

アメリカの子どもたちは英語を"音"から学んでいる

私はアメリカ・ワシントン州で生まれ、幼少期をアメリカの学校で過ごしました。
その頃の記憶をたどると、私を含め、アメリカの子どもたちは、英語を"音"から覚えています。
日本人の皆さんは、英語を"文字"から覚えていませんか？

リスニングが苦手な人は、**アメリカの子どもたちが身につけている30のルール**をマスターしましょう。このルールを知っているか、知らないか。たったそれだけの差が、これから皆さんが英語に触れていく実践の場で、大きな差になります。

ルールを知れば、実践の場でどんどんリスニング力は向上します。

そのための基礎を、この一冊で底固めすることができます。
語彙や文章を学んでいる読者の方であれば、本場アメリカの子どもたちの英語力にすぐに近づくことができるでしょう。

自分で言えれば、
聞き取れるようになります

Before everything else, getting ready is the secret of success.
成功の秘訣は、何よりもまず、準備すること。

フォード・モーター創業者であるヘンリー・フォード氏がこんないい言葉を残してくれました。

英語のリスニングも同じです。
「準備すること」
そのためのルールとトレーニングページを本書に詰め込みました。

● 聞くだけではなく、**自分でも言えるようになれば**、英語は必ず聞き取れるようになります。
● **ルールを知っている**か、知らないか。

成功者の多くは、このほんの小さな差を見逃さなかったのです。

リサ・ヴォート

★本書の使い方★

先生おしえて！

STEP 1

英語リスニングの先生であるリサ・ヴォートさんはアメリカ育ち。まだ小さな少女（Girl）だったころ、どんなふうに英語の音のしくみを学んでいたのでしょう。**アメリカ流の教え方**の一端を知ることが、英語の音とリスニングの基礎を作ってくれます。

国際旅客機のアナウンス

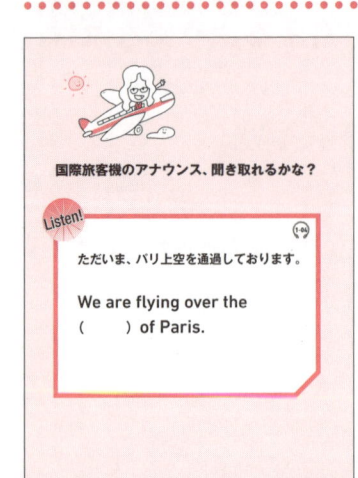

STEP 2

CDのトラック番号を合わせて、国際旅客機でよく流れるアナウンスを聞いてみましょう。（　　　）の空欄に何が入るか、聞き取れるかな？

耳ルール 1～30

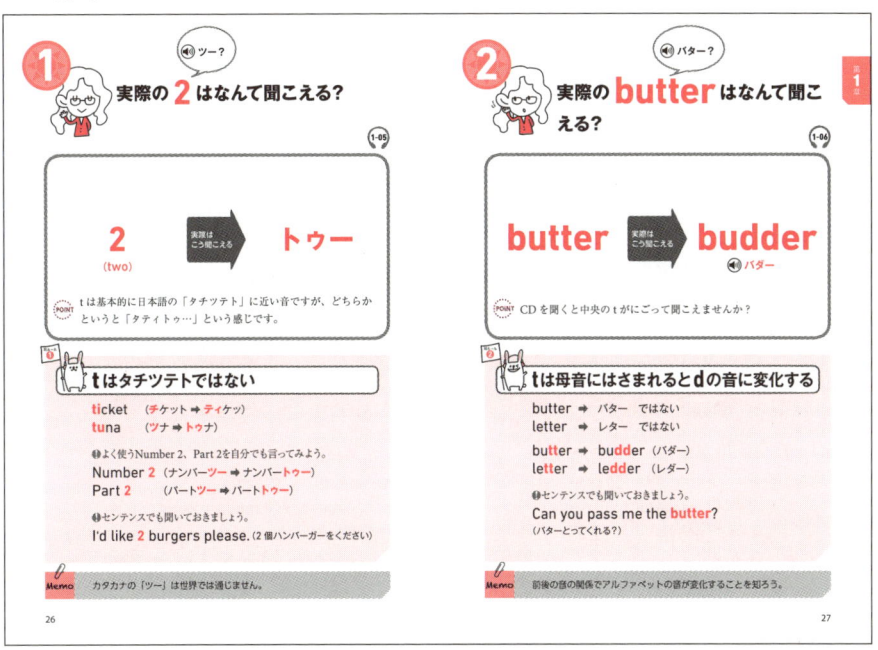

1 実際の 2 はなんて聞こえる? (ツー?)

2 (two) ➡ トゥー

POINT t は基本的に日本語の「タチツテト」に近い音ですが、どちらかというと「タティトゥ…」という感じです。

t はタチツテトではない

ticket （チケット ➡ ティケッ）
tuna （ツナ ➡ トゥナ）

●よく使うNumber 2、Part 2を自分でも言ってみよう。
Number 2 （ナンバーツー ➡ ナンバートゥー）
Part 2 （パートツー ➡ パートトゥー）

●センテンスでも聞いておきましょう。
I'd like 2 burgers please. (2個ハンバーガーをください)

Memo カタカナの「ツー」は世界では通じません。

2 実際の butter はなんて聞こえる? (バター?)

butter ➡ budder (バダー)

POINT CDを聞くと中央のtがにごって聞こえませんか?

t は母音にはさまれると d の音に変化する

butter ➡ バター ではない
letter ➡ レター ではない

butter ➡ budder （バダー）
letter ➡ ledder （レダー）

●センテンスでも聞いておきましょう。
Can you pass me the butter?
（バターとってくれる?）

Memo 前後の音の関係でアルファベットの音が変化することを知ろう。

STEP 3

CDのトラック番号を合わせて、実際のネイティブスピーカーの声を聞いてみましょう。

STEP 4

ネイティブのナチュラルスピードが聞き取れるようになる耳ルールを紹介しています。このルールを知っているか、知らないか。それだけでリスニング力は大きく差がつきます。実際の聞こえ方を学んでください。

センテンスで耳トレ

センテンスで耳トレ

🔊カタカナ発音🔊はあくまで参考までに。実際の音はCDの音声で確認してください。
🔊rの音は通常の「レ」とは異なるため、⓵と表示してあります。

pretty 実際はこう聞こえる → preddy プレディ

❶ These tulips are so **pretty**!
　　　　　　　　　　　preddy
（このチューリップとてもかわいいね！）

❷ His house is **pretty** far from here.
　　　　　　　preddy
（彼の家はここからけっこう遠い）

❸ The pasta was **pretty** good at that new place.
　　　　　　　　preddy
（その新しい店はパスタがけっこうおいしかった）

letter 実際はこう聞こえる → ledder レダー

❶ I received another **letter** from her.
　　　　　　　　　　ledder
（私は彼女からもう一通手紙を受け取りました）

❷ I forgot to send the **letter**.
　　　　　　　　　　　ledder
（私は手紙を送るのを忘れました）

❸ The **letter** is 10 pages long!
　　　ledder
（その手紙は10枚にも及びました！）

Beatles 実際はこう聞こえる → Beadles ビードゥズ

❶ Do you have this **Beatles** CD?
　　　　　　　　　Beadles
（このビートルズのCD持っている？）

❷ I love the **Beatles** so much!
　　　　　　Beadles
（私、ビートルズが大好きなの！）

❸ Which **Beatles** song do you like best?
　　　　 Beadles
（ビートルズのどの曲が一番好き？）

better 実際はこう聞こえる → bedder ベダー

❶ I will do **better** next time.
　　　　　　bedder
（次はもっとうまくやります）

❷ It's **better** if you stay home.
　　　 bedder
（あなたは家にいたほうがいいわ）

❸ Which is **better**, this one or that one?
　　　　　　bedder
（どっちがいい？これか、あれか）

STEP 5

実際の聞こえ方を実用的な例文で耳慣らしします。すべての例文にネイティブスピーカーの音声が［ゆっくり］→［ナチュラル］スピードと2回ずつ流れます。

STEP 6

実際の聞こえ方がアルファベットで表示されています。その隣にカタカナ🔊でも補足してありますが、カタカナではすべての音を表現できませんので、本当の音に慣れるためにはCDの音声のほうを重視しましょう。

⚠ r、thなど英語特有の音については⓵、⊖、⓼など丸囲みで表示しています。

Check! 長い文章を聞いてみましょう

STEP 7

長文を聞くコーナーもあります。各項目で学んだ英語特有の音の変化がここでも出てきます。はじめは本文を見ないでCDを聞き、ちゃんと耳に入ってくるかチェックしましょう。

比べてキャッチ！ 似ている音

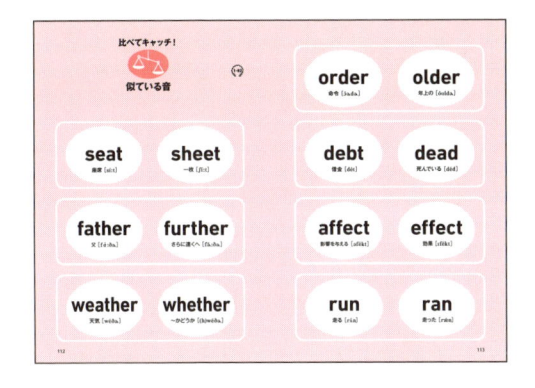

STEP 8

各章の終わりに毎回このコーナーがでてきます。似ている音を比較しながら、微妙な音の違いを聞き分けてみましょう。これをやっておけば、実際の英会話の場面で聞きまちがえることもなくなります。

CONTENTS

はじめに ……………………………………………………………………… 2

レッスンをはじめる前に　11

もうひとつのＡＢＣソング …………………………………………… 12
母音・子音って何？ …………………………………………………… 15

第1章　変化する音をキャッチ　19

先生おしえて! アメリカの子供はどんな英語の勉強をしているの？ …… 20
国際旅客機のアナウンス、聞き取れるかな？ …………………… 24
耳ルール1 tはタチツテトではない ………………………… 26
耳ルール2 tは母音にはさまれるとdの音に変化する ……… 27
耳ルール3 tと母音の音は発信源が遠い位置 ………………… 28
耳ルール4 2語でも[t+母音]はd化する …………………… 29
センテンスで耳トレ …………………………………………………… 30
国際旅客機のアナウンス、聞き取れるかな？ …………………… 40
耳ルール5 nの前のtはくぐもった音に変化する …………… 42
耳ルール6 nの前のdもくぐもった音に変化する …………… 43
耳ルール7 nのうしろのtは音が消える ……………………… 44
センテンスで耳トレ …………………………………………………… 45
国際旅客機のアナウンス、聞き取れるかな？ …………………… 60
耳ルール8 子音lは「ラリルレロ」とはかぎらない ………… 62
耳ルール9 子音lの音はoに近い音になる …………………… 63
耳ルール10 語末のlはoに聞こえる ………………………… 64
耳ルール11 語末のleはohに聞こえる ……………………… 65
耳ルール12 過去形edには「ド」と「トゥ」がある ………… 66

センテンスで耳トレ …………………………………………… 67
比べてキャッチ！似ている音 ………………………………… 81

第2章 音にならない音を見抜く　83

先生おしえて！ 英語の読み方 ……………………………… 84
国際旅客機のアナウンス、聞き取れるかな？ ……………… 88
耳ルール 13 t を1語だけで聞いてみると、音らしい音にならず「ッ」という感じ …… 90
耳ルール 14 t と同じく子音 g も「グ」とはっきり聞こえることはない …… 91
耳ルール 15 ing 形の g はほとんど聞こえない ………………… 92
センテンスで耳トレ …………………………………………… 93
比べてキャッチ！似ている音 ………………………………… 112

第3章 2語・3語つなげて聞く　115

先生おしえて！ どうして単語と単語の音がくっつくの？ …… 116
国際旅客機のアナウンス、聞き取れるかな？ ……………… 120
耳ルール 16 子音で終わる語と母音ではじまる音は連結する …… 122
耳ルール 17 前置詞は母音ではじまる音が多く、連結しやすい …… 123
耳ルール 18 代名詞は母音ではじまる語が多く、連結しやすい …… 124
耳ルール 19 よくある主語の連結パターン …………………… 125
センテンスで耳トレ …………………………………………… 126
国際旅客機のアナウンス、聞き取れるかな？ ……………… 152
耳ルール 20 弱い音 the は前後の単語にかなり影響を受ける …… 154
耳ルール 21 3語がまるで1語のように聞こえる ……………… 155
耳ルール 22 and はきわめて弱く発音→前後が連結 …………… 156
耳ルール 23 t,d,g,p など破裂音は音にならずブリッジ連結 …… 157

センテンスで耳トレ	158
国際旅客機のアナウンス、聞き取れるかな？	176
耳ルール 24　Would you は［ウジュ］と1語のように聞こえる	178
耳ルール 25　What are you はＷａｄａｙａと聞こえる	179
耳ルール 26　I が［ア］としか聞こえないときがある	180
耳ルール 27　want to は wana と短縮	181
耳ルール 28　must have が連結すると ve がほぼ聞こえない	182
センテンスで耳トレ	183
比べてキャッチ！似ている音	195

第4章　音の強弱ルール　197

先生おしえて！　英語はどうして音の強弱があるの？	198
国際旅客機のアナウンス、聞き取れるかな？	202
耳ルール 29　can't は can より強調される、can は次の動詞が強調される	204
耳ルール 30　強く読むところには話し手の意図が隠されている	205
センテンスで耳トレ	206
比べてキャッチ！似ている音	212

巻末特集　聞き取りにくい数字　214

先生おしえて！　数字を聞き取るコツ	215
国際旅客機のアナウンス、聞き取れるかな？	216
お金の数え方	218
聞き取りにくい数字関係	219

レッスンをはじめる前に

先生
おしえて！

もうひとつの
ABCソング

多くの人がABCD〜EFG〜♪と流れる「ABCソング」を聞いたことがあると思います。実はあれは正しいABCの音を出していません。ABCというアルファベットの名前を口ずさんでいる歌なのです。
この本では、ABCの"本当の音"を出す、新しい「ABCソング」を聞いてみましょう。
"A"は「エイ」ですね。
"B"は「ビー」。
これはそれぞれのアルファベットの名前です。これらがapple（りんご）、bank（銀行）のように単語の中に組み込まれると、もう「エイ」「ビー」という"名前"ではなく、"A""B"という"別の音"になります。

まず、一般的な ABC ソングを聞いてみましょう。これはアルファベットの "名前" がでてきます。

🎧 1-02

♪ SONG

ABCDEFG
HIJKLMN
OPQRSTU
VWXYZ

そして、次に別の ABC ソングを聞いてみましょう。新しいほうは "名前" ではなく、"ABC 本来の音" で歌っています。

🎧 1-03

♪SONG

æ (=a)　b (=b)　k (=c)　d (=d)　ə (=e) …

ABCDEFG
HIJKLMN
OPQRSTU
VWXYZ

【先生おしえて！】

母音・子音って何？
（ぼいん・しいん）

日本語の「母音」は「あいうえお」ですね。
でも、英語はその順番からして違います。
私たちネイティブスピーカーが子ども時代に教わる母音は、

「AEIOU、ときどきY」

です。

ところで、母音とは何でしょうか？　それから子音とは何でしょうか？　また、そもそもどうして音を2つの種類に分けているのでしょうか？

まず母音についてです。

母音には2つの音があります。

> 母音は、
> ①"アルファベットの名前"のとおりの音
> ②"実際の音"

最初に言ったように、日本語の「母音」は「あいうえお」です。英語では「AEIOU、ときどきY」です。これらは国別の言語を超えて、共通点があります。つまり、母音とは、「吐きだす息を唇や舌で妨害しないときに生じる音」なのです。

人は言葉を口にするとき、舌や唇をいろいろな角度に動かして、息の流れを妨害させ、音を作っています。その妨害なしで出る音が母音なのです。

これに対して、子音は吐く息の流れを妨害させて生じる音なのです。
- 母音＝息が妨害されないで音になる
- 子音＝息が妨害されて音になる

こうして2つの種類に分けてみると、理解しやすくなります。

> 母音＝息が妨害されない母音
> 　　　➡聞き取りやすい
>
> 子音＝息が妨害されて音になる
> 　　　➡ちょっと聞き取りにくい

では子音とは何でしょうか？
子音は1つしか音を持っていません。

> 子音は、
> "アルファベットの名前" ではない
> "実際の音" だけ

日本語の50音は
①すべて母音だけの音　　あ＝a　　　い＝i
②母音＋子音の音　　　　り＝l＋i　　さ＝s＋a

つまり、"子音だけ" で終わる音がありません。
しかし英語にはこの "子音だけ" で終わる音があるのです。

たとえばブック（本）です。
カタカナ英語をそのままアルファベットにすると、

Bukku

です。

カタカナを口に出すと、
「ク」にあたる英語を「ku」とし、u という母音で終わらせてしまいます。

しかし、実際の英語では、

Book

k は"子音だけ"で終わる音です。u はつきません。だからCDの音声は「ブック」とは言わず、「ブッ k」なのです。

beautiful（ビューティフル）も同じですね。カタカナのままだと、最後を fulu と母音の u で終わらせてしまうところですが、実際の英語は子音 l で終わらせなければなりません。

第1章
変化する音を
キャッチ

> 先生おしえて！

アメリカの子供はどんな英語の勉強をしているの？

私がまだ幼稚園児だったころ、ABCの歌を最初に学びました。
それから、それぞれのABCの文字が作る音がどんな音なのか、先生に教えてもらいます。

文字と音をつなげる学習をフォニックスと呼びます。
そのあと、私たち子どもは、教室の周りを見渡し、同じ音で始まるモノを指さします。

たとえば「B」の音を教えてもらったときは、

> Blackboard, Boy, Blue pen, Bobby, Big poster…

を見つけて指さし、言います。

アルファベットの音を学んだら、次は chunk（かたまり）を学びます。

「ee」
bee, see, feet, feel, heel, meet, seed, week, street, sheet, freeze, green, breeze

「oo」
food, cool, good, look, moon, goose, stood, broom, stool

「ai」
aid, mail, nail, tail, sail, grain, drain, chain, train

「ab」
jab, lab, tab, cab, dab, crab, grab, stab

「ap」
rap, sap, tap, nap, map, gap, cap, lap, flap, slap

「ow」
wow, now, how, cow, down, town, clown, drown, growl

「ay」
pay, ray, tray, pray, play, gray, spray, clay, way

こうした言葉を、声を合わせてクラスで合唱するのは、とても楽しい勉強でした。

先生は子どもたちにこんなふうに問います。

> **The EN family?**
> （ENの仲間はだ〜れ？）

すると、子どもたちは

> Ben, Ken, pen, ten, yen, den, hen, when, then…

と次々に共通するENの仲間を言っていきます。

また、先生は黒板にクイズを書きました。

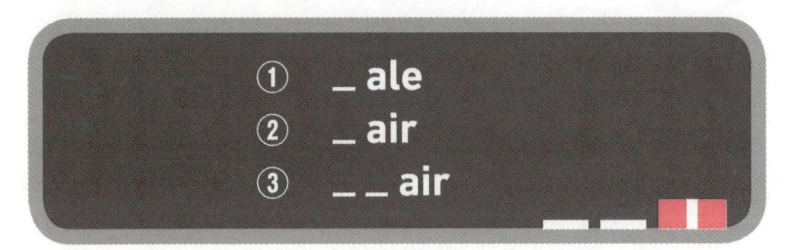

> ① ＿ ale
> ② ＿ air
> ③ ＿＿ air

子どもたちは下線に入る文字を推測します。皆さんも当ててみてください。

（答え：①sale, male　②pair, hair　③chair, stair など）

子どもたちは韻をふんだ言葉で遊ぶのが大好きです。

こうした音遊びをやったあと、次は、**story**（物語）を読む授業に移っていきます。

そのとき、私たちが文字で知っている単語はごくわずか。ただ、それでもアルファベットの字が示す"本当の音"だけは、遊びの授業を通じて知っていました。

そう、アメリカの子どもたちは"音"が最初なのです。

ネイティブの子どもたちは発音記号を学びません。耳で音を聞いてから、あとで文字でつづりを正していきます。

私もそうでしたが、たとえば「食べる」という意味の動詞 eat であれば、文字のつづりを子どもたちは eet かなぁと思っています。日常生活や学校生活で eat という実際の文字を目にするまで、ずっとです。そしてそれを目にしたとき、はじめて eat という正しいつづりがわかるのです。

語彙はその繰り返しで増やしていきます。

まずは耳から。それがアメリカ流なのです。

国際旅客機のアナウンス、聞き取れるかな？

Listen! 　1-04

ただいま、パリ上空を通過しております。

We are flying over the (　　　) of Paris.

第1章

左ページ下の（　　　）は

city

が入りますが、

city ➡ **cidy** 🔊 シディ

に聞こえます。

どうして？

➡ それではさっそくページをめくって、この謎を解いていきましょう。

1 実際の 2 はなんて聞こえる？

🔊 ツー？

2 (two) ➡ 実際はこう聞こえる ➡ **トゥー**

POINT t は基本的に日本語の「タチツテト」に近い音ですが、どちらかというと「タティトゥ…」という感じです。

耳ルール 1 tはタチツテトではない

ticket　（**チ**ケット ➡ **ティ**ケッ）
tuna　　（**ツ**ナ ➡ **トゥ**ナ）

❗よく使うNumber 2、Part 2を自分でも言ってみよう。
Number **2**　（ナンバー**ツー** ➡ ナンバー**トゥー**）
Part **2**　　（パート**ツー** ➡ パート**トゥー**）

❗センテンスでも聞いておきましょう。
I'd like **2** burgers please.（2個ハンバーガーをください）

Memo　カタカナの「ツー」は世界では通じません。

② 実際の butter はなんて聞こえる？

🔊 バター？

butter ➡（実際はこう聞こえる）➡ budder 🔊 バダー

POINT CD を聞くと中央の t がにごって聞こえませんか？

耳ルール② tは母音にはさまれるとdの音に変化する

butter ➡ バター　ではない
letter ➡ レター　ではない

bu**tt**er ➡ bu**dd**er（バダー）
le**tt**er ➡ le**dd**er（レダー）

❗センテンスでも聞いておきましょう。

Can you pass me the butter?
（バターとってくれる？）

Memo　前後の音の関係でアルファベットの音が変化することを知ろう。

3 実際の **auto** はなんて聞こえる?

🔊 オート?

🎧 1-07

auto → 実際はこう聞こえる → **audo** 🔊 アード

POINT 日常英会話でよく見かける単語にも、この変化は頻出します。

耳ルール③ tと母音の音は発信源が遠い位置

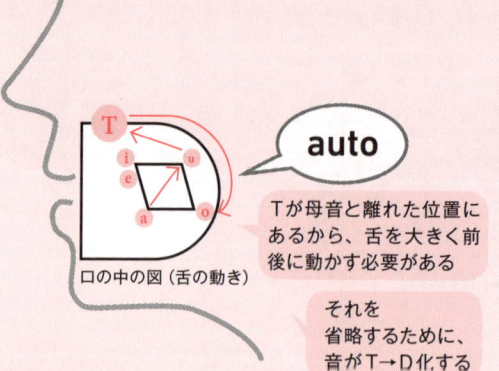

口の中の図（舌の動き）

auto

Tが母音と離れた位置にあるから、舌を大きく前後に動かす必要がある

それを省略するために、音がT→D化する

❗tの数が1つでも2つでも同じ変化です。

pre**tt**y	→	pre**dd**y
be**tt**er	→	be**dd**er
au**t**o	→	au**d**o
to**t**al	→	to**d**al
la**t**er	→	la**d**er

※語頭のtは普通です。

Memo 変化することを知っていれば、あとは慣れるだけ。

4 実際の But I はなんて聞こえる?

（バットアイ？）

1-08

But I → 実際はこう聞こえる → **Budai**
（バダイ）

POINT 2語目の頭に母音があると、直前の t は同じ変化をします。

2語でも [t＋母音] は d 化する

But I → Bu**da**i
Tha**t** **i**s → Tha**di**s

❶疑問詞でもよく起こる現象なので耳を慣らそう。

Wha**t** **i**s → Wa**di**s
Wha**t** **ha**ppened → Wa**d**appen　※正確には「da」に近い音。CDで確認して下さい。

❶センテンスでも聞いておきましょう。

But I still can't see it.
（でもまだそれが見えない）

Memo 2語連結のルールについては次章で詳しく解説します。

センテンスで耳トレ

🎧 1-09
ゆっくり ▶ ナチュラル

pretty　実際はこう聞こえる　preddy 🔊 プレディ

❶ These tulips are so **pretty**!
　　　　　　　　　　　preddy
（このチューリップとてもかわいいね！）

❷ His house is **pretty** far from here.
　　　　　　　preddy
（彼の家はここからけっこう遠い）

❸ The pasta was **pretty** good at that new place.
　　　　　　　　preddy
（その新しい店はパスタがけっこうおいしかった）

letter　実際はこう聞こえる　ledder 🔊 レダー

❶ I received another **letter** from her.
　　　　　　　　　　ledder
（私は彼女からもう一通手紙を受け取りました）

❷ I forgot to send the **letter**.
　　　　　　　　　　　ledder
（私は手紙を送るのを忘れました）

❸ The **letter** is 10 pages long!
　　　ledder
（その手紙は10枚にも及びました！）

❗カタカナ発音🔊はあくまで参考までに。実際の音はCDの音声で確認してください。
❗rの音は通常の「レ」とは異なるため、⒭と表示してあります。

Beatles 実際はこう聞こえる▶ Beadles 🔊 ビードゥズ

❶ Do you have this **Beatles** CD?
　　　　　　　　　　Beadles
（この ビートルズ のCD持っている？）

❷ I love the **Beatles** so much!
　　　　　　　Beadles
（私、ビートルズ が大好きなの！）

❸ Which **Beatles** song do you like best?
　　　　　Beadles
（ビートルズ のどの曲が一番好き？）

better 実際はこう聞こえる▶ bedder 🔊 ベダー

❶ I will do **better** next time.
　　　　　　bedder
（次は もっとうまく やります）

❷ It's **better** if you stay home.
　　　　bedder
（あなたは家にいた ほうがいい わ）

❸ Which is **better**, this one or that one?
　　　　　bedder
（どっちが いい？ これか、あれか）

センテンスで耳トレ

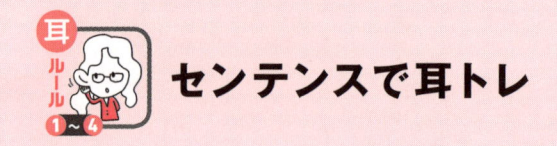

British 実際はこう聞こえる → Bridish 🔊 ブリディッシュ

❶ What's the difference between **British** and English?
　　　　　　　　　　　　　　　　　　　Bridish
（ブリティッシュとイングリッシュの違いは何ですか？）

❷ Is it true that most **British** people prefer tea?
　　　　　　　　　　　　Bridish
（ほとんどのイギリス人が紅茶を好むのは本当ですか？）

❸ I went to the **British** Museum.
　　　　　　　　　Bridish
（私は英国美術館に行きました）

later 実際はこう聞こえる → lader 🔊 レイダー

❶ See you **later**!
　　　　　　lader
（またね！）

❷ We'll go **later** this afternoon.
　　　　　　lader
（私たち、午後になっちゃうけど遅れて行きます）

❸ Let's do it **later**.
　　　　　　　lader
（あとでやりましょう）

total 実際はこう聞こえる → todal 🔊 トードゥ

❶ How much is the **total** after all the taxes?
　　　　　　　　　　todal
（税込みのトータル価格はいくらですか？）

❷ Is the **total** over $100?
　　　　todal
（全部で100ドルを超えますか？）

❸ Please give me the **total** number.
　　　　　　　　　　　todal
（合計をください）

auto 実際はこう聞こえる → audo 🔊 アード

❶ It is on **auto**-pilot.
　　　　　audo
（自動操縦に切り替えています）

❷ Is it manual or **auto**-focus?
　　　　　　　　　audo
（それは手動ですか？ オートフォーカスですか？）

❸ I need to get **auto** insurance.
　　　　　　　　audo
（私は自動車保険に入る必要があります）

センテンスで耳トレ

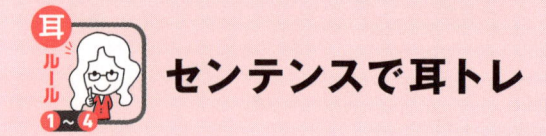

Peter 実際はこう聞こえる→ Peder 🔊 ピーダ⊖

❶ Have you seen **Peter** today?
　　　　　　　　Peder
（今日、ピーター見た？）

❷ **Peter** went to the pharmacy.
　Peder
（ピーターは薬局に行ったよ）

❸ Mary and **Peter** are getting married!
　　　　　　Peder
（メアリーとピーターが結婚するんだってさ！）

water 実際はこう聞こえる→ wader 🔊 ワダ⊖

❶ I'd like mineral **water**, please.
　　　　　　　　　wader
（ミネラルウォーターをください）

❷ Could you bring me another glass of **water**?
　　　　　　　　　　　　　　　　　　　wader
（もう一杯、水をいただけますか？）

❸ The **water** here is so clear!
　　　wader
（ここの水はとてもきれい！）

❶ Peter、water、butter のカタカナ発音🔊のところ、er には r があり、通常日本語で言う「ー」とは異なる音のため、⊖と表示してあります。

bottle 実際はこう聞こえる➡ boddle 🔊 ボードゥ

❶ Is it in a **bottle** or a can?
　　　　　　　boddle
（ボトルに入っているのですか、それとも缶？）

❷ I'd like another **bottle** of wine, please.
　　　　　　　　　boddle
（ワインをもう1本ください）

❸ The **bottle** is recyclable.
　　　　boddle
（そのボトルは再利用できます）

butter 実際はこう聞こえる➡ budder 🔊 バダ⊖

❶ Please pass me the **butter**.
　　　　　　　　　　budder
（バターをとって）

❷ No **butter**, please.
　　　budder
（バターを使わないでください）

❸ The supermarket was out of **butter**.
　　　　　　　　　　　　　　　budder
（スーパーマーケットでバターが品切れだったんだ）

センテンスで耳トレ

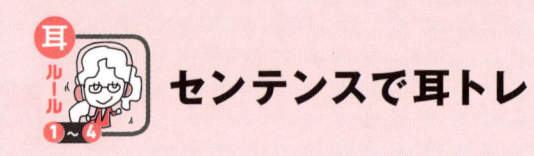

But I 実際はこう聞こえる➡ Budai 🔊 バダイ

❶ **But I** already paid for it!
　Budai
　（でも私はすでにお金を払っているんですよ！）

❷ **But I** love you!
　Budai
　（それでも私はあなたが好き！）

❸ **But I** had pizza for lunch, too.
　Budai
　（でも私、ランチもピザを食べたわ）

bought a 実際はこう聞こえる➡ boughda 🔊 ボーダ

❶ I **bought a** new camera.
　　boughda
　（私は新しいカメラを買いました）

❷ They **bought a** huge house!
　　　 boughda
　（彼らは豪邸を買ったんです！）

❸ We **bought a** necklace for Marie.
　　 boughda
　（私たちはマリーのためにネックレスを買いました）

cutting 実際はこう聞こえる → cuddin 🔊 カッディン

❶ They are **cutting** the cake now.
　　　　　　　cuddin
（彼らはいまケーキをカットしています）

❷ How about **cutting** the ribbon here?
　　　　　　　cuddin
（ここでリボンをカットするのはいかがですか？）

❸ He is **cutting** her hair.
　　　　cuddin
（彼が彼女の髪をカットします）

sitting 実際はこう聞こえる → siddin 🔊 スィッディン

❶ Where are you **sitting**?
　　　　　　　siddin
（どこ座ってるの？）

❷ She was **sitting** by the window.
　　　　　siddin
（彼女は窓際に座っていました）

❸ I'm tired of **sitting**.
　　　　　siddin
（私は座り疲れました）

センテンスで耳トレ

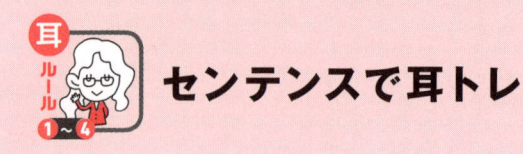

🎧 1-17
ゆっくり ▶ ナチュラル

party 実際はこう聞こえる → pardy 🔊 パ⊖ディ

❶ Are you going to the **party** tonight?
　　　　　　　　　　　　　pardy
（あなたは今夜パーティーに行きますか？）

❷ I'm not the **party** type.
　　　　　　　pardy
（私はパーティーに行くタイプではないです）

❸ The **party** lasted all night long!
　　　　pardy
（そのパーティーは一晩中つづきました！）

matter 実際はこう聞こえる → madder 🔊 マダ⊖

❶ What's the **matter**?
　　　　　　　madder
（何が問題なの？）

❷ Let's talk about that **matter** later.
　　　　　　　　　　　　madder
（のちほどその課題について話し合いましょう）

❸ It doesn't **matter**.
　　　　　　madder
（たいしたことないよ）

❶ party、matterのカタカナ発音🔊のところ、通常日本語で言う「—」とは異なる音のため、⊖と表示してあります。

metal 実際はこう聞こえる➡ medal 🔊 メダーゥ

❶ Is this **metal** or plastic?
　　　　　 medal
（これは金属？ それともプラスティック？）

❷ The **metal** doesn't rust.
　　　 medal
（その金属はさびません）

❸ I like it because the **metal** is shiny.
　　　　　　　　　　　　 medal
（その金属の輝きがいいから好きです）

bitter 実際はこう聞こえる➡ bidder 🔊 ビダー

❶ **Bitter** chocolate is the best!
　 bidder
（苦いチョコレートが一番だわ！）

❷ This coffee is too **bitter**.
　　　　　　　　　　　 bidder
（このコーヒーはかなり苦い）

❸ It was a **bitter** experience.
　　　　　　 bidder
（それはほろ苦い経験でした）

国際旅客機のアナウンス、聞き取れるかな？

Listen!

1-19

ただいま日付変更線を通過いたしました。

We've just crossed the (　　　　) Date Line.

第1章

左ページ下の（　　　）は

International

が入りますが、

International 🔊 イナナショノゥ
➡ **Inernationol**

に聞こえます。

どうして？

さっそくページをめくって、
この謎を解いていきましょう。

⑤ 実際の button はなんて聞こえる?

🔊 ボタン?

button ➡ (実際はこう聞こえる) ➡ bu・n 🔊 バッン

POINT 前のページでは spaghetti（スパゲティ）のように t → d 化により、spagheddi のように聞こえる変化を学びました。しかしこの button はどうでしょう? CD を聞いてみましょう。

耳ルール⑤ nの前のtはくぐもった音に変化する

button ➡ bu・n

❗発音するときは舌を上の歯茎（はぐき）にあてたあと、離さずに鼻から息をだします。

curtain ➡ cur・n
kitten ➡ ki・n
cotton ➡ co・n

❗センテンスでも聞いておきましょう。

Just press this button. (このボタンを押すだけです)

Memo 消え入りそうな、くぐもったtの音。tt − n のような似ているつづりは全てがそうなります。

6 実際の suddenly はなんて聞こえる？

🔊 サデンリィ？

suddenly 　実際はこう聞こえる ➡ su・nly
🔊 サッンリィ

> **POINT** t がくぐもった音に対し、d も同じようにくぐもった音になります。

耳ルール6 n の前の d もくぐもった音に変化する

su**dd**enly ➡ su・nly

❗発音するときは、舌を上の歯茎にあてたあと、離さずに鼻から息をだします。

gar**d**en ➡ gar・n
par**d**on ➡ par・n
di**d**n't ➡ di・n

❗センテンスでも聞いておきましょう。

He **suddenly** began to run.（彼は突然走りだした）

Memo 前ページの t と同じ音のルールが d にも適用されます。

7

🔊 インターネット?

実際の internet はなんて聞こえる?

1-22

internet 　実際は
こう聞こえる　➡　inernet
🔊 イナネッ

POINT t→d化、くぐもる音の次は、消える t です。今度は母音ではなく、t の前に n がありますね。

耳ルール7 n のうしろの t は音が消える

internet ➡ inernet

❗ほかにも同じ現象が起きる単語がありますので、押さえておきましょう。

winter ➡ winer
center ➡ cener
international ➡ inernationol

❗センテンスでも聞いておきましょう。

Look at this internet site. (このウェブサイトを見てごらん)

Memo intercept (妨害する)、intercontinental (大陸間の) なども、アメリカ英語で発音すると同じように t が聞こえず、イナー○○と聞こえます。

センテンスで耳トレ

cotton 実際はこう聞こえる → co・n 🔊 カッン

① This is organic **cotton**.
　　　　　　　　　　co・n
（これはオーガニックコットンです）

② Are these blouses silk or **cotton**?
　　　　　　　　　　　　　　co・n
（これらのブラウスはシルク、それとも綿ですか？）

③ **Cotton** underwear is the best.
　co・n
（綿の下着が一番いいわ）

button 実際はこう聞こえる → bu・n 🔊 バッン

① Is this the right **button**?
　　　　　　　　　　bu・n
（これは正しいボタンですか？）

② You need to press this yellow **button**.
　　　　　　　　　　　　　　　　bu・n
（あなたはこの黄色いボタンを押す必要があります）

③ What a nice **button**-down shirt!
　　　　　　　bu・n
（なんて素敵なボタンダウンのシャツかしら！）

45

センテンスで耳トレ

ルール 5〜7

1-24
ゆっくり ▶ ナチュラル

kitten 実際はこう聞こえる ➡ ki・n 🔊 キッン

❶ How much is that **kitten** in the window?
　　　　　　　　　　ki・n
（窓際の子猫ちゃんのお値段は？）

❷ We got a new **kitten** yesterday.
　　　　　　　　ki・n
（私たちは昨日、新しい子猫を手に入れました）

❸ Our cat had **kittens** this morning.
　　　　　　　ki・n
（私たちの猫が今朝、赤ちゃん子猫を生みました）

written 実際はこう聞こえる ➡ wri・n 🔊 (リ)ッン

❶ It's **written** here.
　　　wri・n
（ここに書かれています）

❷ Where is such a thing **written**?
　　　　　　　　　　　　wri・n
（どこにそんなことが書かれているのですか？）

❸ I have **written** my novel.
　　　　　wri・n
（私は小説を書きました）

certain 実際はこう聞こえる➡ **cer・n** 🔊 サ―ッン

❶ Are you **certain**?
　　　　　　 cer・n
（あなた、たしかですか？）

❷ We are **certain** about the results.
　　　　　 cer・n
（我々はその結果に確信を持っています）

❸ She was **certain** she saw John at the store.
　　　　　　 cer・n
（彼女はたしかにその店でジョンを見たと信じています）

curtain 実際はこう聞こえる➡ **cur・n** 🔊 カ―ッン

❶ Please close the **curtain**.
　　　　　　　　　　 cur・n
（カーテンを閉めてください）

❷ These **curtain**s need to be washed.
　　　　　 cur・n
（このカーテンは洗ってもらう必要があります）

❸ Let's open the **curtain**s.
　　　　　　　　 cur・n
（カーテンを開けましょう）

センテンスで耳トレ

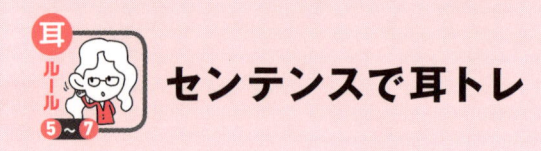

rotten 実際はこう聞こえる → ro・n 🔊 ロンッ

❶ The tomatoes were **rotten**.
　　　　　　　　　　　　ro・n
（トマトが腐っていた）

❷ They were **rotten** to the core.
　　　　　　　ro・n
（それらは芯まで腐っていた）

❸ The **rotten** food smelled bad.
　　　　ro・n
（その腐った食品の匂いはひどかった）

mountain 実際はこう聞こえる → moun・n 🔊 マウンッン

❶ Do you want to climb the **mountain** this weekend?
　　　　　　　　　　　　　　　　moun・n
（今週末、山を登りに行きたいですか？）

❷ I love **mountain** climbing.
　　　　　moun・n
（私は山登りが大好きです）

❸ No **mountain** is too high!
　　　moun・n
（高すぎる山なんてないわ！）

❗rottenのカタカナ発音🔊のところ、通常日本語で言う「ロ」とは異なる音のため㋺と表示してあります。

第1章

🎧 1-27
ゆっくり ▶ ナチュラル

painting 実際はこう聞こえる➡ pei・nin 🔊 ペイッニン

❶ **Whose painting is this?**
　　　　　pei・nin
（これは誰の絵ですか？）

❷ **This is an old oil painting.**
　　　　　　　　　　　pei・nin
（これは古い油絵です）

❸ **My hobby is painting.**
　　　　　　　　pei・nin
（私の趣味は絵を描くことです）

ninety 実際はこう聞こえる➡ ninedy 🔊 ナインディ

❶ **My grandmother is ninety years old.**
　　　　　　　　　　　ninedy
（私の祖母は90歳です）

❷ **Ninety more days and we can go home!**
　　ninedy
（あと90日で、私たちは家に帰れます！）

❸ **She weighs only 90 pounds.**
　　　　　　　　　ninedy
（彼女は90ポンドしか体重がない）

49

センテンスで耳トレ

hunter　実際はこう聞こえる➡ huner　🔊 ハナ⊖

❶ My grandfather was a **hunter** in Hokkaido.
　　　　　　　　　　　　　　huner
（私の祖父は北海道の狩猟民でした）

❷ The **hunter** brought us a deer.
　　　　huner
（そのハンターは我々に鹿を一匹持ってきてくれた）

❸ There are several women **hunter**s here, too.
　　　　　　　　　　　　　　　huner
（ここには女性ハンターも何人かいます）

twenty　実際はこう聞こえる➡ tweny　🔊 トゥエニィ

❶ I'm **twenty** years old so I can drink alcohol now.
　　　tweny
（私は二十歳ですから、今はアルコールを飲むことができます）

❷ I can't believe she's already **twenty**!
　　　　　　　　　　　　　　　　　tweny
（彼女がもう二十歳なんて信じられない！）

❸ There are **twenty** roses here.
　　　　　　　tweny
（ここに20本のバラがあります）

❶ hunterのカタカナ発音🔊のところ、通常日本語で言う「ー」とは異なる音のため㊀と表示してあります。

1-29
ゆっくり ▶ ナチュラル

wanted 実際はこう聞こえる▶ **wa ned** 🔊 ウァーネッ

❶ I saw the help **wanted** poster.
　　　　　　　　wa ned
（私は求人ポスターを見ました）

❷ She **wanted** to speak fluent English.
　　　　wa ned
（彼女は流暢な英語を話したかった）

❸ He **wanted** a new car.
　　　wa ned
（彼は新しい車を欲しがっていた）

51

センテンスで耳トレ

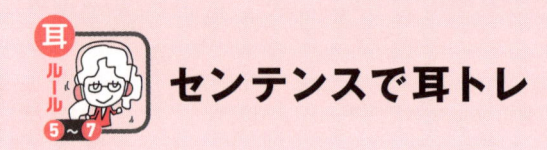

internet 実際はこう聞こえる → inerne 🔊 イ(ナ)ネッ

❶ My **internet** connection is not good.
　　　 inerne
（インターネットの接続がよくありません）

❷ Is the **internet** complimentary?
　　　　 inerne
（インターネットを無料で使えますか？）

❸ There's no **internet** here.
　　　　　　 inerne
（ここにはインターネットはつながっていません）

international 実際はこう聞こえる → inernationol 🔊 イ(ナ)ナショノゥ

❶ I work for an **international** company.
　　　　　　　 inernationol
（私は国際企業で働いています）

❷ His dream is to become an **international** businessperson.
　　　　　　　　　　　　　 inernationol
（彼の夢は国際的なビジネスマンになることです）

❸ Let's focus on the **international** market.
　　　　　　　　　 inernationol
（国際マーケットに焦点を合わせましょう）

❗internet、internationalのカタカナ発音🔊のところの㋯は、いずれもnerと対応しています。rの音が入った「ナ」であるため、実際の音はCDで確認してください。

1-31
ゆっくり ▶ ナチュラル

sentence 実際はこう聞こえる➡ senence 🔊 セネンス

❶ Is this **sentence** correct?
　　　　　senence
（この文章は正しいですか？）

❷ Would you check these **sentence**s for me?
　　　　　　　　　　　　　senence
（これらの文章を私のためにチェックしていただけますか？）

❸ This **sentence** is a problem.
　　　　senence
（この文章は問題があります）

center 実際はこう聞こえる➡ cener 🔊 セナ㋨

❶ It's in the **center** of the city.
　　　　　　cener
（それは街の中心部にあります）

❷ What's in the **center** of the room?
　　　　　　　cener
（部屋の中央にあるのは何ですか？）

❸ I phoned the call **center**.
　　　　　　　　　　cener
（私はコールセンターに電話しました）

53

センテンスで耳トレ

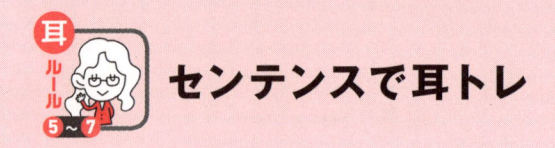

1-32
ゆっくり ▶ ナチュラル

romantic 実際はこう聞こえる ➡ **romanic** 🔊 ロマニック

❶ This is a very **romantic** bar.
　　　　　　　　　romanic
（こちらはとてもロマンチックなバーです）

❷ You're a **romantic** person.
　　　　　romanic
（あなたはロマンチックな人ね）

❸ Yes, it's a **romantic** relationship.
　　　　　　romanic
（はい、ロマンチックな関係です）

fifty 実際はこう聞こえる ➡ **fifdy** 🔊 フィフディ

❶ I lived there **fifty** years ago.
　　　　　　　　fifdy
（私は50年前にそこに住んでいました）

❷ I'd like **fifty** key chains, please.
　　　　　fifdy
（キーチェーンを50個ください）

❸ It's about **fifty** meters from the street.
　　　　　　fifdy
（それは通りから50メートルほどです）

❗romanticのカタカナ発音🔊のところ、通常日本語で言う「ロ」とは異なる音のため⒭と表示してあります。

🎧 1-33
ゆっくり ▶ ナチュラル

suddenly 実際はこう聞こえる➡ su・nly 🔊 サッンリィ

❶ He **suddenly** went home.
　　　su・nly
（彼は突然、家に帰った）

❷ Why did they **suddenly** move?
　　　　　　　　su・nly
（なぜ彼らは突然引っ越したの？）

❸ The light **suddenly** turned on.
　　　　　　su・nly
（明かりが突然つきました）

hidden 実際はこう聞こえる➡ hi・n 🔊 ヒィッン

❶ The rabbit is **hidden** in this picture.
　　　　　　　　hi・n
（この絵にはうさぎが隠れています）

❷ The money is **hidden** in this pocket.
　　　　　　　　hi・n
（このポケットにお金を隠してある）

❸ Where is the **hidden** treasure?
　　　　　　　　hi・n
（どこに隠された財宝があるんだ？）

センテンスで耳トレ

garden 実際はこう聞こえる → gar・n 🔊 ガ―ッン

❶ Have you seen the lavender **garden**?
　　　　　　　　　　　　　　　　gar・n
（ラベンダーの庭を見ましたか？）

❷ How large is your **garden** salad?
　　　　　　　　　　　gar・n
（こちらのガーデンサラダはどれくらいの大きさですか？）

❸ Let's take a walk in the **garden** after lunch.
　　　　　　　　　　　　　　gar・n
（昼食のあとお庭を散歩しましょう）

pardon 実際はこう聞こえる → par・n 🔊 パ―ッン

❶ **Pardon** me?
　　par・n
（もう一度おっしゃっていただけますか？）

❷ Please **pardon** him.
　　　　　　par・n
（彼を許してあげてください）

❷ **Pardon** my father, he's drunk.
　　par・n
（父を許して、彼は酔っているんだ）

❗garden、pardonのカタカナ発音🔊のところ、通常日本語で言う「ー」とは異なる音のため⊖と表示してあります。

🎧 1-35
ゆっくり ▶ ナチュラル

didn't 実際はこう聞こえる ➡ di・n 🔊 ディッン

❶ **Didn't** you go there last year?
　　di・n
（去年、あなたはそこに行かなかったのですか？）

❷ Oh, sorry. **Didn't** I tell you?
　　　　　　　　　di・n
（あら、ごめんなさい。あなたに言わなかったっけ？）

❸ She **didn't** know about it.
　　　　di・n
（彼女はそれを知りませんでした）

shouldn't 実際はこう聞こえる ➡ shou・n 🔊 シュゥッン

❶ You **shouldn't** step on the grass.
　　　　shou・n
（あなたは芝生を踏むべきじゃないわ）

❷ I **shouldn't** take your money.
　　　shou・n
（私はあなたからお金を取るべきではありません）

❸ **Shouldn't** you wear rain boots today?
　　shou・n
（今日はレインブーツを履いたほうがいいのでは？）

センテンスで耳トレ

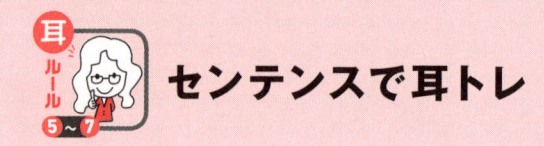

couldn't 実際はこう聞こえる➡ cou・n 🔊 クゥンッ

❶ That **couldn't** happen in Japan.
　　　coul・n
（それは日本では起こりえない）

❷ She **couldn't** believe her eyes.
　　　coul・n
（彼女は自分の目をうたがいました）

❸ I **couldn't** go.
　　coul・n
（私は行けなかったんです）

hadn't 実際はこう聞こえる➡ ha・n 🔊 ハ・ン

❶ He **hadn't** thought about it.
　　ha・n
（彼はそれについて考えたことがなかった）

❷ She **hadn't** visited New York City.
　　　ha・n
（彼女はニューヨーク市には訪れていなかった）

❸ I wish I **hadn't** said that.
　　　　ha・n
（あんなこと言わなければよかった）

Check! 長い文章を聞いてみましょう。

ボタンとリボン

Do you know the old song **Buttons** and Bows? It was made most famous by Dinah Shore in 19**47**. So, what's this song about? There are **two** versions: one for a man and the other for a woman to sing. Basically the song is about a person who longs to return to a big **city** where women look **better** because they dress up and wear fashionable "frills and flowers and **buttons** and bows" on their dresses. The song was used in a Western movie where a couple was traveling west in a wagon, and the **pretty** woman **sitting** on the wagon is dressed in buckskin, which **wasn't** very **romantic**.

皆さんは『ボタンとリボン』という古い曲をご存知でしょうか？ダイナ・ショアという人の最も有名な曲で、1947年に作られました。では、どういった内容の曲だと思いますか？
この曲は2バージョンあります。1つは男性のために歌われた曲、もう1つは女性のために歌われた曲です。この曲は大都会に戻ることを切実に願う人物について書かれています。大都会では女性が流行のフリルや花、ボタン、リボンで装飾された服を着ることで華やかに見えていました。西洋映画のテーマ曲に起用されました。その映画は、1組のカップルがワゴンに乗って"go west"する内容になっていて、ワゴンに乗っているかわいらしい女性はバックスキンの服を着ていて、全くロマンチックではなかったのです。

国際旅客機のアナウンス、聞き取れるかな？

Listen! 　1-38

ご搭乗のみなさま、ただいまこの飛行機はロンドン、ヒースロー空港に着陸いたしました。ロンドン時間で午前11時50分でございます。

Ladies and Gentlemen, we have arrived at London, Heathrow Airport, where the (　　　) time is now ten minutes to noon.

第1章

左ページ下の（　　　）は

local

が入りますが、

local ➡ **lohcoh**
　　　　　　🔊 ロゥコー

に聞こえます。

とても「ローカル」には聞こえませんね。
どうしてここまで違うのでしょう？

さっそくページをめくって、
この謎を解いていきましょう。

8 実際の Help はなんて聞こえる？

🔊 ヘルプ？

Help　→（実際はこう聞こえる）→　Heoh
🔊 ヘオ

POINT 前ページで n を前にすると t が消えるという変化がありました。次は l です。どんなふうに変化するでしょう？

耳ルール8　子音 l は「ラリルレロ」とはかぎらない

He**l**p　➡　He**o**h

❗子音 l は「ラリルレロ」とはかぎりません。o に近い音と覚えておくと、これからの学習がラクになります。CD でしっかり確かめておきましょう。

❗センテンスでも聞いておきましょう。

Help me!（助けて！）

Memo l の音はカタカナ「ラリル…」で覚えてしまうと不利です。海外で通じません。

⑨ 実際の sale はなんて聞こえる?

🔊 セール?

🎧 1-40

sale　→　実際はこう聞こえる　→　**seio**　🔊 セイオ

POINT help の l の音と同様、たくさんの日常語にある l が変化しますので、確認しておきましょう。

耳ルール⑨ 子音 l の音は o に近い音になる

sa**l**e	➡	sei**o**　セイオ
ca**ll**	➡	co**h**　コオ
mi**l**k	➡	mi**o**　ミオッ

❶ラリルレロは頭から捨ててください。
Can I hel**p you?** (いらっしゃいませ)

❶もう一つセンテンスを聞いておきましょう。
Is this on sale? (これは特売品ですか?)

Memo 一度覚えてしまえば、はじめて見る単語であっても、対応カンタンです。

⑩ 実際の hospital はなんて聞こえる？

🔊 ホスピタル？

hospital　→（実際はこう聞こえる）→　hospito　🔊 ハスピト

POINT sale の l が o と聞こえましたが、では hospital のように語末 l はどのように聞こえるでしょうか？

語末の l は o に聞こえる

hospita**l** ➡ hospit**o**

❗ラリルレロを捨て、子音 l の音に慣れてください。

loca**l** ➡ lohc**oh**
genera**l** ➡ gener**oh**
I'**ll** ➡ ai**oh**

❗センテンスでも聞いておきましょう。

I'm going to the **hospital** to see my cousin.
（いとこに会いに病院へ行きます）

Memo 一度覚えれば、もう安心。

11 実際の apple はなんて聞こえる?

🔊 アップル?

(1-42)

apple ➡ 実際はこう聞こえる ➡ appoh
🔊 アポー

POINT 語末を l で締めくくる単語と、apple のように le で締めくくる単語があります。似ていますが、音はどうでしょう？ 少し音の伸びが違います。

耳ルール⑪ 語末の **le** は **oh** に聞こえる

app**le** ➡ app**oh**　　　tab**le** ➡ teib**oh**
peop**le** ➡ peep**oh**

le の発音は [エ] と発音したあと、舌先を上の歯の裏側につけるだけです。そのため、日本語では [オ] に近い音に聞こえるのです。

❗apple のように le で締めくくった単語も「ル」ではない。

apple ➡ アップル ではない

❗センテンスでも聞いておきましょう。

My favorite fruit is the **apple**. (私の好きな果物はりんごです)

Memo 音の変化のルールを学ぶと、カタカナ英語から脱します。

12 実際の mixed はなんて聞こえる?

(ミックスド?)

mixed　実際はこう聞こえる　→　mixt
ミクス(トゥ)

POINT 過去形のedにも特殊な変化をする音があります。これを聞き取れないと、時制（いつのことを話しているのか）が分からなくなるのでしっかりチェックしましょう。

耳ルール⑫ 過去形 ed には「ド」と「トゥ」がある

I work hard.（私は熱心に働きます）
↓
I work**ed** hard yesterday.（私は昨日熱心に働きました）

❗このedが「ィド」の音にならないケースがたくさんあります。

kiss**ed** → kis**t**　　burn**ed** → burn**t**
hop**ed** → houp**t**　　（burnedと発音する場合もあります）

❗センテンスでも聞いておきましょう。

She **mixed** the chocolate and cream.
（彼女はチョコレートとクリームを混ぜた）

Memo 過去形は文字で書けても、音を学ぶ機会が少ない。ここで押さえておきたい。

センテンスで耳トレ

ルール ⑧〜⑫

1-44
ゆっくり ▶ ナチュラル

第1章

help 実際はこう聞こえる➡ heo 🔊 ヘオ

❶ Please **help** me!
　　　　　heo
（私を助けてください）

❷ May I **help** you?
　　　　heo
（いらっしゃいませ）

❸ A kind man **help**ed us.
　　　　　　　heo
（親切な人が私たちを助けてくれた）

milk 実際はこう聞こえる➡ mio 🔊 ミオッ

❶ May I have another cup of **milk**?
　　　　　　　　　　　　　　　mio
（牛乳をもう一杯いただけますか？）

❷ Would you like **milk** and sugar?
　　　　　　　　mio
（ミルクとお砂糖はいかがでしょうか？）

❸ I am allergic to **milk**.
　　　　　　　　　mio
（私、牛乳にアレルギーがあるんです）

センテンスで耳トレ

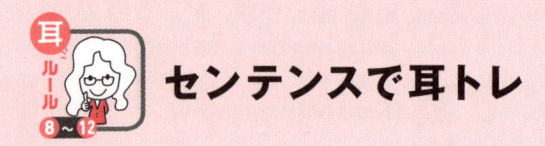

call 実際はこう聞こえる → coh 🔊 コォ

❶ Please **call** me when you get home.
　　　　　coh
（家に着いたら電話してください）

❷ What can I **call** you?
　　　　　　　coh
（あなたのことを何と呼んだらいいでしょうか？）

❸ **Call** me Johnny, not John.
　coh
（ジョンではなく、ジョニーと呼んでね）

myself 実際はこう聞こえる → myseof 🔊 マイセオフ

❶ I can do it **myself**.
　　　　　　　myseof
（それは自分でできます）

❷ I have told **myself** one hundred times!
　　　　　　　myseof
（自分に100回言い聞かせてきました！）

❷ I came by **myself**.
　　　　　　myseof
（一人で来ました）

❶ generalのカタカナ発音マーク🔊のところ、通常日本語で言う「ロ」とは異なる音のため㋺と表示してあります

local 実際はこう聞こえる➡ **locoh** 🔊 ロゥコー

❶ **Do you know this local area?**
  　　　　　　　　　locoh
（この地方、知っていますか？）

❷ **What do the local people call this vegetable?**
  　　　　　　locoh
（地元の人たちはこの野菜を何と呼んでいますか？）

❸ **This is a local newspaper.**
  　　　　　　locoh
（これは地元紙です）

general 実際はこう聞こえる➡ **generoh** 🔊 ジェネ㋺ウ

❶ **They only asked general questions.**
  　　　　　　　　　　generoh
（かれらは一般的な質問をしただけでした）

❷ **In general, that is true.**
  　　　generoh
（一般的に、それは当てはまります）

❸ **We visited the general manager's office.**
  　　　　　　　　　generoh
（私たちはゼネラルマネージャーのオフィスを訪問しました）

69

センテンスで耳トレ

I'll 実際はこう聞こえる → **aio** 🔊 アイオ

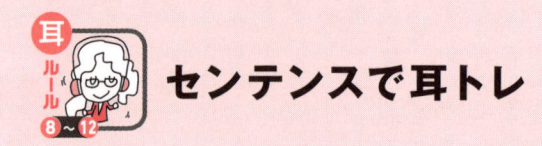

❶ **I'll** visit Thailand soon.
　　aio
（もうすぐタイを訪問します）

❷ Maybe **I'll** eat ethnic food tonight.
　　　　　aio
（今夜はたぶんエスニック料理を食べます）

❸ After the meeting, **I'll** write the report.
　　　　　　　　　　　aio
（会議後、レポートを書きます）

apple 実際はこう聞こえる → **appoh** 🔊 アポー

❶ Where is this **apple** from?
　　　　　　　　appoh
（このりんごの産地はどこですか？）

❷ I like green **apple**s better than red **apple**s.
　　　　　　　　appoh　　　　　　　　　　appoh
（赤いりんごより青りんごのほうが好きです）

❸ How many **apple**s would you like, sir?
　　　　　　　appoh
（りんご、おいくつにしますか？）

table 実際はこう聞こえる → teiboh 🔊 テイボー

❶ A **table** for two, please.
　　teiboh
（二人用のテーブルをお願いします）

❷ Would you wipe the **table** for me?
　　　　　　　　　　　　teiboh
（テーブルを拭いていただけませんか？）

❸ This **table**cloth is elegant.
　　　　teiboh
（このテーブルクロスは上品ですね）

people 実際はこう聞こえる → peepoh 🔊 ピーポー

❶ How many **people** will attend?
　　　　　　　peepoh
（何人出席しますか？）

❷ Three **people** made speeches.
　　　　　peepoh
（3人が演説しました）

❸ There are **people** from all over the world!
　　　　　　peepoh
（世界中の人たちがいます！）

センテンスで耳トレ

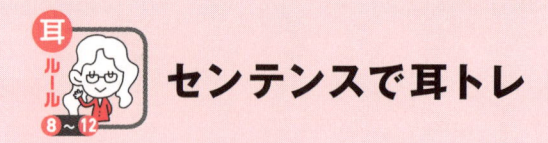

double 実際はこう聞こえる → douboh 🔊 ダボー

❶ Do you have any **double** beds?
　　　　　　　　　　douboh
（**ダブル**ベッドありますか？）

❷ Go in those **double** doors.
　　　　　　　douboh
（**両開き**のドアから入って）

❸ It is high season so the price is **double**.
　　　　　　　　　　　　　　　　　　douboh
（シーズン中のため、価格は**2倍**になっています）

candle 実際はこう聞こえる → candoh 🔊 キャンドー

❶ The **candle**s were lit.
　　　candoh
（**ろうそく**に灯りがともっていました）

❷ How many **candle**s on the cake would you like?
　　　　　　candoh
（ケーキには**ろうそく**をいくつ立てましょうか？）

❸ You should hold the bottom of the **candle**.
　　　　　　　　　　　　　　　　　　　candoh
（**ろうそく**の下の部分を持ったほうがいいです）

❗ responsibleのカタカナ発音マーク🔊のところ、通常日本語で言う「レ」とは異なる音のためⓁと表示してあります。

1-50
ゆっくり ▶ ナチュラル

第1章

bubble 実際はこう聞こえる➡ buboh 🔊 バボー

❶ Do you have any **bubble** gum?
　　　　　　　　　　　　buboh
（風船ガム持っていますか？）

❷ It's another economic **bubble**.
　　　　　　　　　　　　　　buboh
（それはもう一つの経済バブルです）

❸ Let's take a **bubble** bath!
　　　　　　　　　buboh
（泡風呂に入りましょう！）

responsible 実際はこう聞こえる➡ responsiboh 🔊 Ⓛスポンスィボー

❶ I feel **responsible** for his happiness.
　　　　　responsiboh
（彼を幸せにする責任があります）

❷ You need to be more **responsible**!
　　　　　　　　　　　　responsiboh
（もっと責任感をもつ必要があります）

❸ She was the **responsible** one in the group.
　　　　　　　　responsiboh
（グループの中で彼女が一番責任感がありました）

73

センテンスで耳トレ

kissed 実際はこう聞こえる→ kist 🔊 キス(トゥ)

❶ The frog was **kissed** and it turned into a prince!
　　　　　　　　 kist
（その蛙はキスをされたら、王子様に変わりました！）

❷ He **kissed** me on the hand.
　　　 kist
（彼は私の手にキスをしました）

❸ The groom **kissed** the bride.
　　　　　　 kist
（新郎が新婦にキスをしました）

iced tea 実際はこう聞こえる→ ice tea 🔊 アイスティー

❶ I'd like some more **iced tea**, please.
　　　　　　　　　　 ice tea
（アイスティーのお代わりをください）

❷ Is your **iced tea** sweetened?
　　　　　 ice tea
（アイスティーに砂糖やガムシロップは入れますか？）

❸ This is the best **iced tea** that I have ever had in my life.
　　　　　　　　　 ice tea
（これは今までで最も美味しいアイスティーです）

❗過去形 ed の「トゥ」という音はとても弱い音なので、カタカナ発音🔊は
㋣と表示しています。

🎧 1-52
ゆっくり ▶ ナチュラル

watched 実際はこう聞こえる➡ wacht 🔊 ワッチ㋣

❶ I **watched** TV all day.
　　　wacht
（私は一日中ＴＶを見ていた）

❷ They **watched** the boxing match.
　　　　　wacht
（彼らはボクシングの試合を見ました）

❸ They **watched** me.
　　　　　wacht
（彼らは私を見た）

laughed 実際はこう聞こえる➡ laft 🔊 ラフ㋣

❶ They **laughed** at his joke.
　　　　　laft
（彼らは彼の冗談に笑いました）

❷ I **laughed** loudly.
　　　laft
（私は大声で笑いました）

❸ He **laughed** all day.
　　　laft
（彼は一日中笑っていた）

センテンスで耳トレ

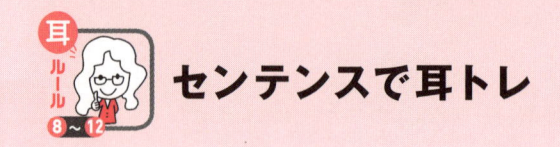

🎧 1-53
ゆっくり ▶ ナチュラル

mixed nuts 実際はこう聞こえる➡ mixt nuts
🔊 ミクス(トゥ)ナッツ

❶ Could you bring me some more **mixed nuts**?
   　　　　　　　　　　　　　　　　　　　mixt nuts
（ミックスナッツをもっと持ってきてくれませんか？）

❷ How much do those **mixed nuts** cost?
   　　　　　　　　　　　mixt nuts
（あのミックスナッツはいくらですか？）

❸ These **mixed nuts** are stale.
   　　　　mixt nuts
（このミックスナッツはしけっています）

hoped 実際はこう聞こえる➡ houpt 🔊 ホープ(トゥ)

❶ I **hoped** it would succeed.
   　houpt
（成功を祈りました）

❷ She **hoped** no one would notice.
   　　　houpt
（彼女は誰も気づかないことを祈りました）

❸ This was not what she had **hoped** for.
   　　　　　　　　　　　　　　houpt
（これは彼女の望んだことではなかったです）

❗過去形 ed の「トゥ」という音はとても弱い音なので、カタカナ発音は (トゥ) と表示してあります。

coughed 実際はこう聞こえる➡ couft 🔊 コフ(トゥ)

① He **coughed** many times during the classical concert.
　　　couft
（彼はクラシックのコンサート中に何度も咳をしました）

② The good girl covered her mouth when she **coughed**.
　　　　　　　　　　　　　　　　　　　　　　　　couft
（そのおりこうな女の子は咳をしたとき、口を手で覆いました）

③ They even **coughed** while sleeping.
　　　　　　　couft
（彼らは寝ているときでさえ咳をしました）

faxed 実際はこう聞こえる➡ faxt 🔊 ファクス(トゥ)

① It was **faxed** last night.
　　　　　faxt
（昨夜、それはFAXで送りました）

② Was it **faxed** to me?
　　　　　faxt
（それを私にFAXで送りましたか？）

③ They **faxed** the papers to the lawyer.
　　　　　faxt
（彼らはその書類を弁護士にFAXで送りました）

センテンスで耳トレ

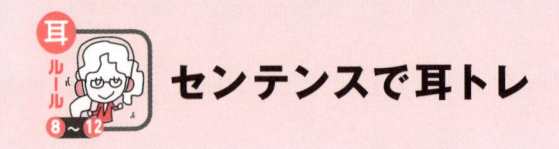

🎧 1-55
ゆっくり ▶ ナチュラル

fished 実際はこう聞こえる→ fisht 🔊 フィッシュ(トゥ)

❶ We **fished** with a net.
　　　fisht
（私たちは網で魚を獲りました）

❷ He **fished** his pockets for some small change.
　　　fisht
（彼はポケットから小銭を探した）

❸ They **fished** in the lake and the ocean.
　　　　fisht
（彼らは湖と海で釣りをしました）

crashed 実際はこう聞こえる→ crasht 🔊 クラッシュ(トゥ)

❶ His car **crashed** near the convenience store.
　　　　　crasht
（彼の車はコンビニの近くで衝突しました）

❷ The meteor **crashed** in the desert.
　　　　　　crasht
（隕石は砂漠に墜落しました）

❸ I **crashed** as soon as I got home.
　　　crasht
（家に着くとすぐに寝ました）

- 過去形 ed の「トゥ」という音はとても弱い音なので、カタカナ発音🔊は⊕と表示してあります。
- crashed、refreshed、trashed の r の音はラリルレロではありません。CD で確認してください。

refreshed 実際はこう聞こえる➡ refresht
🔊 リ(レ)シュ⊕

❶ After the shower, I felt **refreshed**.
　　　　　　　　　　　　　　refresht
（シャワー後、リフレッシュしました）

❷ The vacation **refreshed** me.
　　　　　　　　refresht
（休みが私をリフレッシュしてくれました）

❸ She felt **refreshed** for the first time in a long time.
　　　　　　refresht
（彼女は久しぶりにリフレッシュした気分を感じました）

trashed 実際はこう聞こえる➡ trasht 🔊 ト(ラ)シュ⊕

❶ The rock musician **trashed** the room.
　　　　　　　　　　　　trasht
（そのロックミュージシャンは部屋をメチャクチャにしました）

❷ Sorry, I already **trashed** it.
　　　　　　　　　trasht
（すみません、すでにそれは処分したのです）

❸ She **trashed** the broken phone.
　　　trasht
（彼女は壊れた電話を捨てました）

センテンスで耳トレ

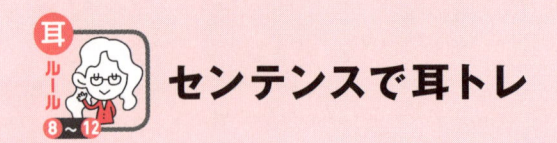

mashed 実際はこう聞こえる → masht 🔊 マッシュ(トゥ)

❶ **Mashed** potatoes for Grandpa, please.
　　masht
（おじいちゃんにはマッシュポテトをお願いします）

❷ Would you like some more **mashed** potatoes?
　　　　　　　　　　　　　　　　　masht
（マッシュポテトのお代わりいかがですか？）

❸ Everything was **mashed** together.
　　　　　　　　　masht
（全部いっしょに押しつぶされました）

talked to 実際はこう聞こえる → talkt 🔊 トーク(トゥ)

❶ I **talked to** him last night.
　　talkt
（私は昨夜彼に話しました）

❷ We **talked to** the gardener about the tree.
　　　talkt
（私たちは庭師とその木について話をしました）

❸ Have you **talked to** her yet?
　　　　　　talkt
（彼女にはもう話したのですか？）

比べてキャッチ！ 似ている音

1-58

bath 風呂 [bǽθ]

bus バス [bʌ́s]

mouse ネズミ [máʊs]

mouth 口 [máʊθ]

correct 正確な [kərékt]

collect 集める [kəlékt]

right 右、正しい [ráɪt]	**light** 光、明るい [láɪt]
farm 農場 [fáɚm]	**firm** 会社 [fɚ́ːm]
desert 砂漠 [dézɚt]	**dessert** デザート [dɪzɚ́ːt]
born 生まれて [bɔ́ɚn]	**bone** 骨 [bóʊn]

第2章
音にならない音を見抜く

英語の読み方

14ページで、新しいABCの歌を聞いたように、私がはじめて学校で英語の読み方を教わったとき、英語の文字はこう読むように言われました。

æ（＝a）
b（＝b）
k（＝c）
d（＝d）
ə（＝e）
…

この音に聞きなれたあとに、私たちは身の回りを観察し、身近な英単語を発見していったのです。

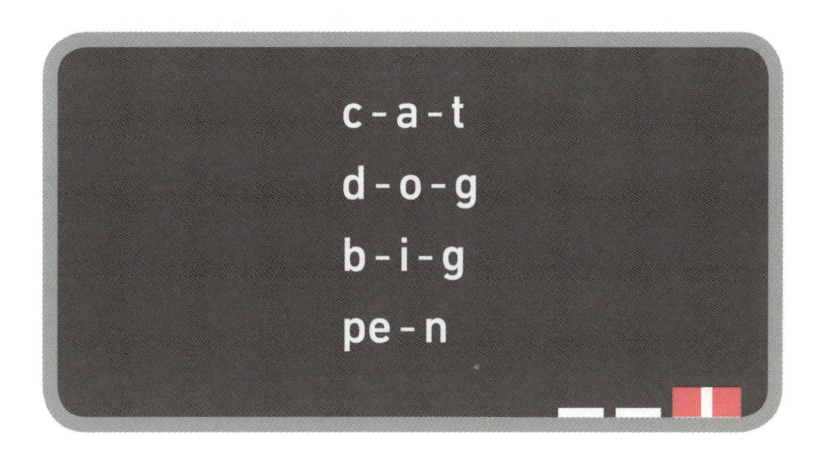

```
c - a - t
d - o - g
b - i - g
pe - n
```

そして音が組み合わさってできる音を学んでいきました。
たとえば "th" "ch" "sh" など。

正しい音を学ぶことはとても重要なのです。なぜなら、bath（お風呂）は日本語のように BASU ではありません。I'll take a bath now.（今からお風呂入る）というとき、BASU では相手に通じません。

そして次に、私たちはこんな公式を教わります。

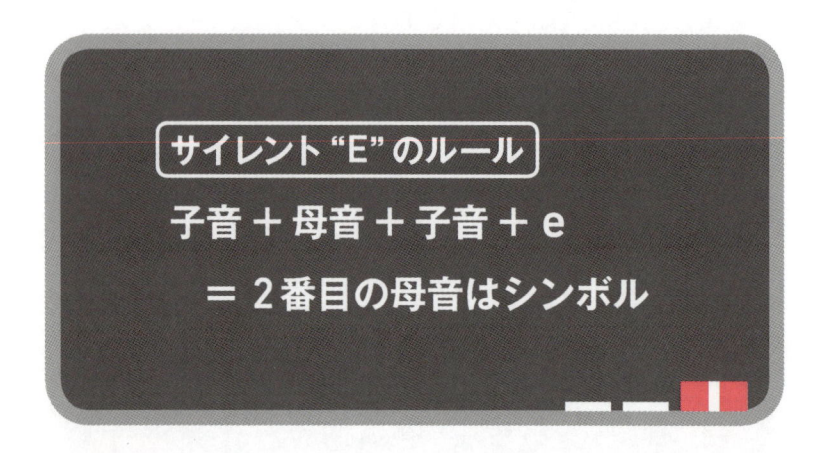

> **サイレント"E"のルール**
> 子音＋母音＋子音＋e
> ＝ 2番目の母音はシンボル

たとえば、
[tap と tape]
これは ABC の"本当の音"だけでとらえた場合、カタカナで書くと、
[タップとタッピィ]
じゃないかなと、子どもの私たちは思います。

tap は正解です。でも tap ＋ e の tape は［テイプ］でなければいけません。意味はカセットテープなどの「テープ」のことですね。

同じように、

fin	🔊 フィン	fine	🔊 ファイン
tub	🔊 タブ	tube	🔊 チューブ
kit	🔊 キット	kite	🔊 カイト
win	🔊 ウィン	wine	🔊 ワイン
not	🔊 ナット	note	🔊 ノート

右側のアルファベットを1つずつ見ると、[子音＋母音＋子音＋e]の構造になっています。

この2番目の母音eはシンボルだから発音しません。その代わり、1番目の母音をアルファベットの"本当の音"ではなく、アルファベットの"名前"で読むというルールを習いました。

一部、love、have、above のような例外もあります。でも、多くはこの基本ルールになります。

国際旅客機のアナウンス、聞き取れるかな？

Listen! 1-59

機体が完全に停止するまで、どなた様もお座席にお座りのままお待ちください。

For your safety, please remain seated until the aircraft comes to a complete (　　　).

左ページ下の（　　　）は

stop

が入りますが、

stop ➡ **sto**ッ 🔊 スタッ

に聞こえます。

pはどこに行ったのか？

さっそくページをめくって、
この謎を解いていきましょう。

13 実際の sit down はなんて聞こえる?

🔊 シットダウン?

🎧 1-60

sit down　→（実際はこう間こえる）→ siッ down
🔊 スィッダウン

POINT 子音 t がカタカナの「タチツ…」ではないことは学びました。では sit はどんな発音になるでしょう?

耳ルール⑬ tを1語だけ聞いてみると、音らしい音にならず「ッ」という感じ

si**t** down　➡　シットダウン　ではない

❗とくにtのあとに子音がくる場合は、ほとんど聞こえません。

si**t** down　➡　siッ down
（座る）

credi**t** card　➡　crediッ card
（クレジットカード）

righ**t** now　➡　raiッ_now
（今すぐに）

❗センテンスでも聞いておきましょう。

Please si**t** down.（座ってください）

Memo 子音+子音は言いづらい。言いづらいものは省略する。それが言葉です。

14 実際の big はなんて聞こえる？

🔊 ビッグ？

(1-61)

big → bi ッ
🔊 ビッ

POINT tと同じく、bigのgも子音が連続すると言いづらいです。言いづらい音は省略し、言いやすく、聞きやすく、が鉄則です。

🏁 ルール14　tと同じく子音gも「グ」とはっきり聞こえることはない

big bird ➡ bi**ッ**_bird

❗ほとんど聞こえない音ですが、それが何を指すのかぎりぎり分かるくらいには聞こえます。

big dream ➡ bi**ッ**_dream
（大きな夢）

hug me ➡ hu**ッ**_me
（ハグして）

❗センテンスでも聞いておきましょう。

Tom has a **big** bird. （トムは大きな鳥を飼っています）

Memo t、g、p、kなどは「破裂音」と言われ、この「ッ」の音の変化が生じやすい仲間です。

⑮ 実際の reading はなんて聞こえる？

🔊 リーディング？

reading ➡ (実際はこう聞こえる) ➡ readin

🔊 リーディン

POINT 進行形の ing も語末 g が、音が消える子音の典型です。

耳ルール⑮ ing形のgはほとんど聞こえない

reading ➡ リーディング　とはならない

reading ➡ readin
smoking ➡ smokin
doing ➡ doin

❗センテンスでも聞いておきましょう。

Tom likes **reading**. (トムは読書が好きです)

Memo　〜ing は「〜イン」としか聞こえないのがほとんどです。

センテンスで耳トレ

hat 実際はこう聞こえる → haッ 🔊 ハッ

❶ Remember to wear a **hat** (haッ) when you go outside, OK?
（外に出るときは帽子をかぶるのを忘れないでね、いい？）

❷ That **hat** (haッ) looks good on you.
（その帽子似合ってますね）

❸ I want a straw **hat** (haッ).
（麦わら帽子がほしいです）

cut 実際はこう聞こえる → cuッ 🔊 カッ

❶ Please **cut** (cuッ) along these lines.
（この線に沿って切ってください）

❷ I need to get a hair**cut** (cuッ) soon.
（そろそろ髪を切らなければいけないわ）

❸ I think it's best to **cut** (cuッ) the ribbon here.
（ここでテープカットをするのがベストだと思います）

センテンスで耳トレ

🎧 1-64
ゆっくり ▶ ナチュラル

feet 実際はこう聞こえる ➡ feeッ 🔊 フィーッ

❶ My **feet** are tired from walking all day.
　　　feeッ
（一日中歩いたので、足が疲れています）

❷ I wish my **feet** were smaller.
　　　　　　feeッ
（足がもっと小さかったらいいのになあと思います）

❸ The table is 10 **feet** long.
　　　　　　　　feeッ
（そのテーブルの長さは10フィートです）

what 実際はこう聞こえる ➡ whaッ 🔊 ワッ

❶ **What** are you talking about?
　　whaッ
（何について話をしているのですか?）

❷ **What** is the name of this flower?
　　whaッ
（この花の名前は何ですか?）

❸ Do you know **what** to do next?
　　　　　　　　whaッ
（次に何をすべきかわかりますか?）

can't 実際はこう聞こえる→ canッ 🔊 キャンッ

❶ She **can't** go to Portugal right now.
　　　　canッ
（彼女は今ポルトガルに行くことはできません）

❷ I **can't** tell a lie.
　　 canッ
（私は嘘がつけません）

❸ He **can't** see the difference.
　　　canッ
（彼には違いがわからないのです）

doesn't 実際はこう聞こえる→ doesnッ 🔊 ダズンッ

❶ He **doesn't** want to buy a new one.
　　　　doesnッ
（彼は新しいものを買いたいとは思っていません）

❷ She **doesn't** think it will work.
　　　　doesnッ
（彼女はそれがうまくいくとは思っていません）

❸ Why **doesn't** anybody listen to me?
　　　　doesnッ
（なぜ私の言うことを誰も聞いてくれないのですか？）

センテンスで耳トレ

won't 実際はこう聞こえる → wonッ 🔊 ウォンッ

❶ I **won't** try to stop him.
　　 wonッ
（彼を止める**つもりはない**です）

❷ She **won't** stay overnight.
　　　 wonッ
（彼女はお泊りする**つもりはない**）

❸ Why **won't** they try it?
　　　 wonッ
（なぜ彼らはそれを試**そうとしない**のでしょうか？）

street 実際はこう聞こえる → streeッ 🔊 スチュ(リ)ーッ

❶ It's a big **street**.
　　　　　　 streeッ
（それは**大通り**です）

❷ Cross the **street** when it's safe to do so.
　　　　　　 streeッ
（安全を確認してから**道路**を渡ってください）

❸ Do you know the **street** name?
　　　　　　　　　 streeッ
（その**通り**の名前を知っていますか？）

❶ smart、shortのカタカナ発音🔊のところ、通常日本語で言う「ー」とは異なる音のため⊖と表示してあります。

🎧 1-67
ゆっくり ▶ ナチュラル

第2章

smart 実際はこう聞こえる→ smarッ 🔊 スマ⊖ッ

❶ He is such a **smart** boy.
　　　　　　　　smarッ
（彼はとても賢い少年です）

❷ It's a **Smart** car.
　　　　　smarッ
（それはスマート社の車です）

❸ Don't say that you're not **smart** enough.
　　　　　　　　　　　　　　smarッ
（君はスマートさが不足しているなんて言っちゃいけません）

short 実際はこう聞こえる→ shorッ 🔊 ショ⊖ッ

❶ It's about 10 centimeters too **short**.
　　　　　　　　　　　　　　　　　　shorッ
（10センチほど足りません）

❷ That is the **short** version.
　　　　　　　　shorッ
（あれは短くしたものです）

❸ He will wear a **short**-sleeved shirt.
　　　　　　　　　shorッ
（彼は半そでのシャツを着ます）

97

センテンスで耳トレ

first 実際はこう聞こえる➡ firsッ 🔊 ファ―スッ

❶ The **first** thing is to sit down.
　　　firsッ
（最初にすることは座ることです）

❷ **First** things **first**.
　firsッ　　　　firsッ
（まず第一にです）

❸ Where is the **first** aid kit?
　　　　　　　　firsッ
（救急箱はどこですか？）

should take 実際はこう聞こえる➡ shu(d)tei(k) 🔊 シュッテイッ

❶ You **should take** the eight o'clock train.
　　　shu(d)tei(k)
（8時の電車に乗ったほうがいいですよ）

❷ Grandma **should take** the medicine three times a day.
　　　　　shu(d)tei(k)
（おばあちゃんは一日3回薬を飲む必要があります）

❸ He **should take** time to relax.
　　　shu(d)tei(k)
（彼にはリラックスするための時間が必要です）

❗compared toのカタカナ発音🔊のところ、通常日本語で言う「ペア」とは異なる音のため🔰と表示してあります。

get down 実際はこう聞こえる➡ geッdown
🔊 ゲッダウン

❶ **Get down** from there right now!
　geッdown
（すぐにそこから降りてください！）

❷ Let's **get down** to business.
　　　　geッdown
（さあ仕事を始めましょう）

❸ The kitten couldn't **get down** from the tree.
　　　　　　　　　　　　geッdown
（子猫は木から降りれらなかったです）

compared to 実際はこう聞こえる➡ compareッtu
🔊 カン🔰ッ🔰

❶ **Compared to** yesterday, today is easy.
　compareッtu
（昨日と比べると、今日は楽です）

❷ His was good **compared to** mine.
　　　　　　　　compareッtu
（彼のは私のに比べてよかったです）

❸ This one is warm **compared to** that one.
　　　　　　　　　　compareッtu
（これはあれに比べて温かいです）

センテンスで耳トレ

not down 実際はこう聞こえる → naッdown
🔊 ナッダウン

❶ We need to go this way, **not down** that street.
　　　　　　　　　　　　　　　　naッdown
（私たちは、あの通りではなくこの道を進む必要があります）

❷ Please move it up, **not down**.
　　　　　　　　　　　naッdown
（下るのではなく、上げてください）

❸ The website is **not down** right now.
　　　　　　　　　 naッdown
（そのウェブサイトは現在ダウンしていません）

eat duck 実際はこう聞こえる → eaッduck
🔊 イーッダッ（ク）

❶ Let's go **eat duck**!
　　　　　　eaッduck
（鴨肉を食べに行きましょう）

❷ To eat or not to **eat duck**, that is the question!
　　　　　　　　　　　eaッduck
（鴨肉を食べるのか食べないのか、それが問題です！）

❸ Do you **eat duck** eggs?
　　　　　eaッduck
（鴨の卵を食べますか？）

quit doing 実際はこう聞こえる➡ **quiッdoin**
🔊 クイッドゥーイン

❶ I will **quit doing** such a thing.
　　　quiッdoin
（そんなことをするのはやめます）

❷ I have **quit doing** that while driving.
　　　　quiッdoin
（運転中にそれをするのはやめました）

❸ You have to **quit doing** these things!
　　　　　　quiッdoin
（あなたはこれらのことをやめなければなりません！）

must do 実際はこう聞こえる➡ **musッdo**
🔊 マスッドゥ

❶ We **must do** all we can.
　　　musッdo
（私たちはやれることは全てやらなくてはなりません）

❷ What are some **must-do** things in Chicago?
　　　　　　　musッdo
（シカゴでやらなければいけないことは何ですか？）

❸ Tell me what I **must do** now.
　　　　　　　musッdo
（私が今やらなければならないことを教えてください）

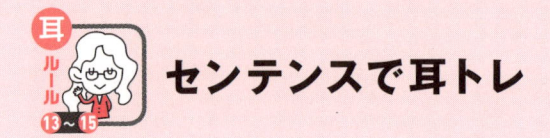

センテンスで耳トレ

lost dress 実際はこう聞こえる➡ **losッdress**
🔊 ロスッ(ドゥ)レス

❶ The dry cleaners found the **lost dress**.
　　　　　　　　　　　　　　　losッdress
（クリーニング業者がなくなったドレスを発見した）

❷ Who is the owner of this **lost dress**?
　　　　　　　　　　　　　　losッdress
（このドレスをなくしたのは誰ですか？）

❸ I know nothing about the **lost dress**.
　　　　　　　　　　　　　　losッdress
（私はその落し物のドレスのことは何も知らないです）

short drama 実際はこう聞こえる➡ **shorッdrama**
🔊 ショ(ー)ッ(ドゥ)ラマ

❶ It was a **short drama**.
　　　　　　shorッdrama
（それは短い劇でした）

❷ I'd like to read the **short drama**.
　　　　　　　　　　　shorッdrama
（その短いドラマを読んでみたいです）

❸ I entered the **short drama** competition.
　　　　　　　　shorッdrama
（短編ドラマのコンペに参加しました）

❗ lost dress、short drama の d は、通常日本語で言う「ド」とは異なる音のため⑰と表示してあります。

best desk 実際はこう聞こえる➡ besッdesk
🔊 ベスッデスク

❶ This is the **best desk** for her.
   besッdesk
（これが彼女に最適な机です）

❷ Which one do you think is the **best desk**?
                                    besッdesk
（どの机が最も良いと思いますか？）

❸ These are the **best desk** speakers in the store.
              besッdesk
（その店では、これらが机用のスピーカーとして最も良いものです）

hurt dog 実際はこう聞こえる➡ hurッdoッ
🔊 ハーッダァーッ

❶ The **hurt dog** could not walk.
       hurッdoッ
（その怪我をした犬は、歩くことができませんでした）

❷ Is it a sick or **hurt dog**?
                  hurッdoッ
（それは病気の犬ですか、それとも怪我をした犬ですか？）

❸ The badly **hurt dog** stayed silent.
             hurッdoッ
（その犬はひどい怪我を負っていて、静かなままでした）

センテンスで耳トレ

secret dream 実際はこう聞こえる→ **seecreッdream**
🔊 スィークレッ(ドゥ)(リ)ーム

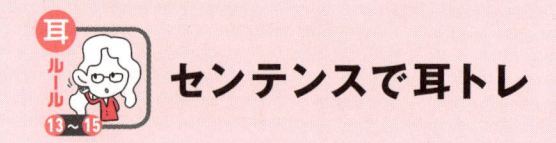

❶ Tell me the **secret dream**.
　　　　　　　seecreッdream
（秘密の夢を教えてください）

❷ I have a **secret dream**.
　　　　　　seecreッdream
（私には密かな夢があります）

❸ This is how to find your **secret dream** home.
　　　　　　　　　　　　　　seecreッdream
（秘密にしている理想の家の見つけ方はこうです）

road tax 実際はこう聞こえる→ **rohッtax**
🔊 ローッタックス

❶ How much is the **road tax**?
　　　　　　　　　rohッtax
（道路税はいくらになりますか？）

❷ I can't believe the high cost of **road tax** this year.
　　　　　　　　　　　　　　　　　rohッtax
（今年の道路税は信じられないほど高いです）

❸ Is there a **road tax** on the island?
　　　　　　　rohッtax
（島では道路税かかりますか？）

❗ secret dream のカタカナ発音🔊のところ、㋲、㋷の音はCDでしっかり確認してください。

wood table 実際はこう聞こえる➡ wooッteiboh
🔊 **ウッテイボー**

❶ The **wood table** has folding legs.
　　　wooッteiboh
（この木製のテーブルは折りたたみ式の脚がついています）

❷ I'm looking for a **wood table**.
　　　　　　　　　　　　wooッteiboh
（木製のテーブルを探しています）

❸ Isn't this **wood table** hard to keep clean?
　　　　　　wooッteiboh
（この木製のテーブルはお掃除がたいへんでしょう？）

cold tacos 実際はこう聞こえる➡ colッtacoz
🔊 **コオッタコズ**

❶ I like **cold tacos**!
　　　　colッtacos
（冷たいタコスが好きです！）

❷ Would you like hot tacos or **cold tacos**?
　　　　　　　　　　　　　　　　colッtacos
（温かいタコスと冷たいタコス、どちらにいたしましょうか？）

❸ **Cold tacos** and warm tequila are heavenly!
　　colッtacos
（冷たいタコスに温かいテキーラは最高だね！）

センテンスで耳トレ

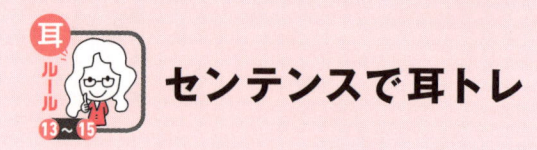

going 実際はこう聞こえる → goin 🔊 ゴーイン

❶ He is not **going**.
　　　　　　　goin
（彼は行かないつもりです）

❷ When are you **going** to the post office?
　　　　　　　　goin
（いつ郵便局に行きますか？）

❸ What's **going** to happen?
　　　　　goin
（何が起きるのでしょうか？）　※ going to → gonna と発音されることも多い。

Hong Kong 実際はこう聞こえる → honkon 🔊 ホンコン

❶ I'm visiting **Hong Kong** this autumn.
　　　　　　　honkon
（今秋、香港を訪問します）

❷ What's famous in **Hong Kong**?
　　　　　　　　　honkon
（香港では何が有名ですか？）

❸ Do I need a visa to visit **Hong Kong**?
　　　　　　　　　　　　honkon
（香港を訪問するのにビザは必要でしょうか？）

jumping 実際はこう聞こえる → jumpin 🔊 ジャンピン

❶ I'm not **jumping** in there!
　　　　　 jumpin
（そこには飛び込みません！）

❷ The kids were **jumping** rope.
　　　　　　　　 jumpin
（子どもたちは縄跳びをしていました）

❸ Stop **jumping** on the bed.
　　　　 jumpin
（ベッドの上でジャンプするのをやめなさい）

jog 実際はこう聞こえる → joッ 🔊 ジョッ

❶ The handsome man would **jog** by me every morning.
　　　　　　　　　　　　　　 joッ
（その素敵な男性は毎朝ジョギングで私の前を横ぎります）

❷ She watched them **jog** back to the gym.
　　　　　　　　　　 joッ
（彼女は、彼らがジョギングで体育館に戻るのを見ました）

❸ I used to **jog** often but now I don't have the time.
　　　　　　 joッ
（以前はよくジョギングをしていましたが、今はそんな時間はないです）

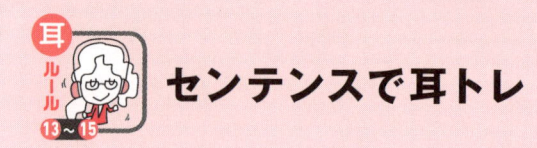

センテンスで耳トレ

1-78
ゆっくり ▶ ナチュラル

big 実際はこう聞こえる→ biッ 🔊 ビッ

❶ These pants are too **big** for me.
　　　　　　　　　　　　biッ
（このズボンは私には大きすぎます）

❷ Your voice is not **big** enough.
　　　　　　　　　　biッ
（あなたの声は小さすぎます）

❸ Think **big**!
　　　　　biッ
（大きく考えなさい！）

smog 実際はこう聞こえる→ smoッ 🔊 スマッ

❶ The **smog** is bad today.
　　　　smoッ
（今日はスモッグがひどいです）

❷ There is no **smog** anywhere now.
　　　　　　　smoッ
（今どこにもスモッグはありません）

❸ A layer of **smog** covered the city.
　　　　　　　smoッ
（その都市はスモッグの層に覆われていました）

king 実際はこう聞こえる → kin 🔊 キンッ

❶ I have a **king** of hearts.
　　　　　　 kin
（ハートのキングを一枚持っています）

❷ He's the **king** of that country.
　　　　　 kin
（彼はその国の王様です）

❸ We're looking for a **king**-size bed.
　　　　　　　　　　 kin
（私たちはキングサイズのベッドを探しています）

blog 実際はこう聞こえる → bloッ 🔊 ブロッ

❶ I haven't updated my **blog** in a while.
　　　　　　　　　　　　bloッ
（私はしばらくブログを更新していません）

❷ I finally started a **blog**.
　　　　　　　　　　 bloッ
（ようやくブログを始めました）

❸ Have you read his funny **blog**?
　　　　　　　　　　　　　bloッ
（彼のおかしいブログ読みましたか？）

センテンスで耳トレ

🎧 1-80
ゆっくり ▶ ナチュラル

boxing 実際はこう聞こえる➡ boxin 🔊 バクスィン

❶ I've started **boxing** recently.
　　　　　　　　boxin
（最近、ボクシングを始めました）

❷ That's the name of the new **boxing** gym.
　　　　　　　　　　　　　　　　boxin
（あれが新しいボクシングジムの名前です）

❸ Get in the **boxing** ring!
　　　　　　　boxin
（ボクシングリングに上がって！）

Viking 実際はこう聞こえる➡ Vikin 🔊 ヴァイキン

❶ He was a great **Viking** leader.
　　　　　　　　　Vikin
（彼は優れたバイキングのリーダーでした）

❷ **Viking** is a name of a buffet restaurant.
　Vikin
（バイキングとはビュッフェ形式のレストランの名称です）　※日本のみ

❸ What do you know about the **Viking** age?
　　　　　　　　　　　　　　　　Vikin
（バイキング時代について何を知ってますか？）

cooking 実際はこう聞こえる→ cookin 🔊 クッキン

❶ Let's go to a cooking class!
　　　　　　　　cookin
（料理教室に行きましょう！）

❷ It's nice that your husband likes cooking.
　　　　　　　　　　　　　　　　cookin
（だんなさんが料理好きだなんて素敵ですね）

❸ I was tired after cooking for thirty people.
　　　　　　　　　cookin
（30人分の料理を作ったら疲れました）

buying 実際はこう聞こえる→ byin 🔊 バイイン

❶ I'm buying the expensive purse this weekend.
　　　byin
（今週末、高価なハンドバッグを買います）

❷ They were buying the doll for the child.
　　　　　　　byin
（彼らは子どものために人形を買っていました）

❸ I belong to a buying club.
　　　　　　　　byin
（買い物クラブに入っています）

比べてキャッチ！似ている音

(1-82)

seat 座席 [síːt]   **sheet** 一枚 [ʃíːt]

father 父 [fάːðɚ]   **further** さらに遠くへ [fə́ːðɚ]

weather 天気 [wéðɚ]   **whether** 〜かどうか [(h)wéðɚ]

order 命令 [ɔ́ɚdɚ]	**older** 年上の [óʊldɚ]
debt 借金 [dét]	**dead** 死んでいる [déd]
affect 影響を与える [əfékt]	**effect** 効果 [ɪfékt]
run 走る [rʌ́n]	**ran** 走った [rǽn]

Check! 長い文章を聞いてみましょう。

ニューヨークの食べ物

Do you know what foods New York City is famous for? There are four things you must try when visiting the Big Apple. They are **hot dogs**, **pizza**, **fried chicken** and **waffles**, and **bagels**. Maybe you know about the famous hot dog eating contest because there have been a few skinny Japanese guys that have won. Pizza is usually sold by the slice (not whole) in the city; and fried chicken and waffles is an unusual combination, don't you think? Bagels were brought to the city by Polish-Jewish immigrants a long time ago.

ニューヨークでどんな食べ物が有名か知っていますか？ニューヨークを訪れたら、次の４つの料理を食べてみてください。ホットドッグ、ピザ、ワッフルチキン、そしてベーグルです。ホットドッグの大食い競争のことは、痩せた日本人が優勝したこともあり、有名なので、たぶん知っているでしょう。ピザは通常ホールではなくスライスで売られています。またワッフルチキン（フライドチキンとワッフルの組み合わせ）は珍しいと思いませんか？ベーグルは昔、ポーランド系ユダヤ人の移民によって持ち込まれました。

★補足★
hot dog = ho(t) do(g)
pizza = ピッツア
fried chicken = fryッ chicken
waffles = ワッフーズ wa fol z
bagel = ベイグ〜

第 **3** 章

2語・3語
つなげて聞く

先生
おしえて！

どうして単語と単語の音がくっつくの？

```
スマートフォン  ➡  スマホ

あけましておめでとう ➡ あけおめ
```

日本語だって長いものを省略して言います。英語の音の連結は、それと同じ感覚です。

だれだって相手に伝わるのなら、短めに伝えたいものです。短めにすることで、息つぎの回数も減りますから、口は楽になり、早く意思を相手に伝えることができます。

ネイティブスピーカーならみんな短くするルールを無意識に知っていますので、このルールを知るだけで、英語を話すのが楽になるのです。

たとえば、ネイティブスピーカーとあいさつをするとき、

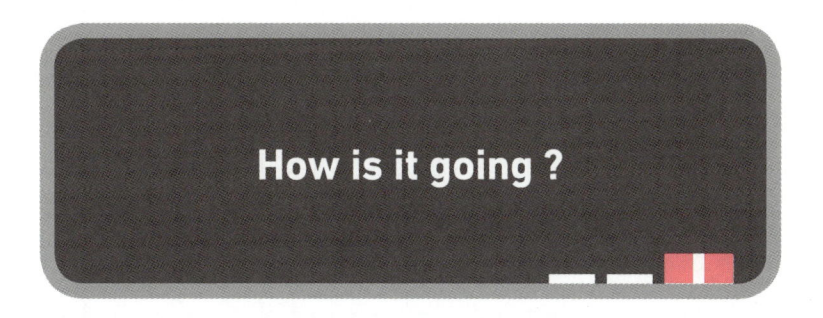

> How is it going ?

「調子はどう?」と尋ねられることがよくあります。

英語の文章を見ないで音だけを聞くと

> ハウズィッ　ゴーイン

と言っています。

How is it がまるで一語のように［ハウズィッ］と聞こえるでしょう。

ちょっとしたあいさつ程度で、一語一語ていねいに［ハウ・イズ・イッ］と言っていたら、相手をもたつかせてしまいますね。

日本語でも「おはようございます」を「おはよう」「オッハー」と、どんどん短く言いますよね。

長い言葉を口にするときは、それだけ息を長く吐きださなければなりません。息がなくなってくると、苦しくなってハーッと息を吸い込みます。この息つぎを何回もやらなければならないのは、言葉として非効率です。

だから相手に伝わるのなら、英語はどんどん短く言うルールを、ネイティブスピーカーは無意識に利用しているのです。

第3章では日常英会話でよく出てくる表現に的をしぼって、音の連結をピンポイントで学んでいきます。

はじめは2語の連結。

それから3語の連結にもチャレンジしましょう。

ここで紹介したルールをあらかじめ知っているか知らないかで、リスニング力は大きく変わってきます。

ルールを学び、ネイティブスピーカーのナチュラル英語を聞き取れるようになりましょう。

国際旅客機のアナウンス、聞き取れるかな？

Listen! 2-01

まもなく出発いたしますので、お座席のベルトをしっかりとお締めください。

To prepare for (　　　), please ensure that your seat belt is fastened tight and low.

左ページ下の（　　　）は

take off

が入りますが、

take off
➡ **teikof** 🔊 テイコフ

に聞こえます。

2語が1語のように
くっついていますね。どうして？

さっそくページをめくって、
この謎を解いていきましょう。

16 実際の check out はなんて聞こえる?

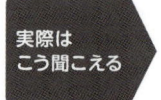

(チェックアウト?)

check out　→実際はこう聞こえる→　che-kout
（チェッカウッ）

POINT 前章では hot dog → hoッdog のように t の音がほとんど消えてしまう現象を学びました。それでは今回の check の ck はどのような変化が出るでしょうか？

耳ルール⑯ 子音で終わる語と母音ではじまる音は連結する

check out　➡　チェックアウト　ではない

❗2語が1語のように聞こえます。
check out　➡　che-kout（チェッカウッ）

❗センテンスでも聞いておきましょう。
I'd like to **check out** please.
（チェックアウトお願いします）

Memo 子音と母音は親子のように結びつきが強い。

17 実際の come in はなんて聞こえる?

🔊 カムイン？

come in　実際はこう聞こえる　➡　ca-min
🔊 カミン

POINT 前置詞は、in、out、after、on など母音で始まる語が多いので、さまざまな2語連結のバリエーションがあります。

耳ルール17　前置詞は母音ではじまる語が多く、連結しやすい

in　out　after　on　up　of　off

❗2語連結のバリエーションに慣れておくと、音が耳にとどまりやすくなります。

come in	➡ ca-min	カミン
come on	➡ ca-mon	カモン
come up	➡ ca-mup	カマッ

❗センテンスでも聞いておきましょう。

May I **come in**?（入ってもよろしいでしょうか？）

Memo　自分でも言えるようになれば、聞き取りの力もアップします。

18 実際の taste it はなんて聞こえる？

🔊 テイストイット？

2-04

taste it →（実際はこう聞こえる）→ **teistit**

🔊 テイスティ

POINT 代名詞の it も母音で始まるため、連結が生じやすい語のひとつです。

📏ルール⑱ 代名詞は母音ではじまる語が多く、連結しやすい

taste it	➡ teistit	テイスティ

❗it、him、her、us、them も同じ理由で連結しやすいです。

joi**n u**s	➡ joinus	ジョイナス
tel**l h**er	➡ teler	テラー
tak**e t**hem	➡ taikem	テイケム
wit**h h**im	➡ withim	ウィズィム

❗センテンスでも聞いておきましょう。
Let me **taste it**.（味見させてください）

Memo 動詞が誰を指しているのか、聞き取れなければ会話が困難になります。

19 実際の this apple はなんて聞こえる?

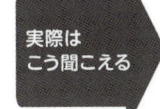

🔊 ディスアップル?

(2-05)

this apple　実際はこう聞こえる ➡　thisappoh
🔊 ディサッポー

POINT 代名詞 this とそのあとの名詞の連結です。名詞の頭が母音である場合、ネイティブは連結させて発音することがとても多いです。

よくある主語の連結パターン

this apple ➡ thisappoh　ディサッポー

❶冠詞 an の連結も耳で確認しておきましょう。
an apple ➡ anappoh　アナッポー

❶センテンスでも聞いておきましょう。
This apple tastes good.
(このりんごはおいしいです)

Memo この連結のパターンに慣れれば、主語を聞き逃すというミスも減ります。

センテンスで耳トレ

right away 実際はこう聞こえる → raita way 🔊 ライダウェイ

❶ I will be there **right away**.
　　　　　　　　　　raita way
（すぐそちらに行きます）

❷ You need get out of bed **right away**.
　　　　　　　　　　　　　　raita way
（すぐに起きる必要があります）

❸ Start **right away**.
　　　　raita way
（すぐに始めて）

what if 実際はこう聞こえる → whadif 🔊 ワディフ

❶ **What if** everyone stayed home?
　　whadif
（みんな家にいたらどうなるのでしょうか？）

❷ **What if** no one cared?
　　whadif
（誰も気にしなかったらどうなるのでしょうか？）

❸ **What if** all the ice melted?
　　whadif
（氷が全て溶けたらどうなるのでしょうか？）

❗ right away、tennis racket and のカタカナ発音🔊のところ、通常日本語で言う「ラ」とは異なる音のため㋶と表示してあります。

2-07
ゆっくり ▶ ナチュラル

might I 実際はこう聞こえる➡ maidai 🔊 マイダイ

❶ **Might I** add some more sugar?
　　maidai
（もっと砂糖を加えても いいでしょうか？）

❷ Who else **might I** want to meet?
　　　　　　　maidai
（ほかにどなたとお目にかかると よいでしょうか？）

❸ What other charges **might I** be billed for?
　　　　　　　　　　　　maidai
（他にはどんな料金が請求されて いるのでしょうか？）

tennis racket and 実際はこう聞こえる➡ tennis racke ten
　　　　　　　　　　　　　　　　　　🔊 テニス㋶ケッテン

❶ Remember your **tennis racket and** shoes.
　　　　　　　　　tennis racke ten
（テニスのラケットと靴を忘れないでください）

❷ He took his **tennis racket and** membership card to the counter.
　　　　　　　tennis racke ten
（彼は、テニスラケットと会員カードをカウンターに出しました）

❸ I broke my **tennis racket and** I regret it.
　　　　　　　tennis racke ten
（私はテニスラケットを壊してしまい、後悔しています）

センテンスで耳トレ

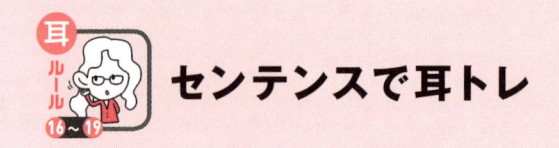

2-08
ゆっくり ▶ ナチュラル

text another 実際はこう聞こえる➡ tex tana ther
🔊 テキスタナ(ダ)ー

❶ I will **text another** message to him.
　　　　　tex tana ther
（私は彼に別のメッセージを送ります）

❷ Is it wrong to **text another** woman while on a date?
　　　　　　　　tex tana ther
（デート中に別の女性にメッセージを送るのは間違っていますか？）

❸ Why can't this phone **text another** country?
　　　　　　　　　　　　tex tana ther
（この電話が他の国にメッセージを送ることができないのはなぜですか？）

want every 実際はこう聞こえる➡ wa nevery
🔊 ウォネヴ(リ)ィ

❶ Why do you **want every** new gadget?
　　　　　　　wa nevery
（新しいガジェットが出るたびに欲しくなるのはどうしてでしょうか？）

❷ I **want every**one to like me.
　　 wa nevery
（私はみんなに好かれたいです）

❸ They **want every** mother to know about this.
　　　　wa nevery
（彼らは全ての母親にこのことを知ってもらいたいと思っています）

⚠ another のようにthのところを便宜上カタカナ発音🔊で「ダ」としていますが、実際の音は異なりますので㊊と表示しました。CDで確認してください。

🎧 2-09
ゆっくり ▶ ナチュラル

lift all 実際はこう聞こえる ➡ lif dall 🔊 リフドォー

❶ Are you sure you can **lift all** the boxes yourself?
　　　　　　　　　　　　　lif dall
（あなたは本当に箱を全て自分で持ち上げることができるの？）

❷ The rising tide will **lift all** the boats.
　　　　　　　　　　　　lif dall
（上げ潮はボートを全て引き上げるでしょう）

❸ Can this crane **lift all** the containers?
　　　　　　　　　　lif dall
（このクレーンはコンテナを全部持ち上げることができますか？）

went out 実際はこう聞こえる ➡ we nout 🔊 ウェナウッ

❶ We **went out** last night.
　　　　we nout
（昨夜、私たちは出かけました）

❷ The cafe **went out** of business.
　　　　　　we nout
（そのカフェは潰れました）

❸ The electricity **went out** during the typhoon.
　　　　　　　　　we nout
（台風が上陸している間は、停電でした）

第3章

センテンスで耳トレ

invest in 実際はこう聞こえる→ investin 🔊 インヴェスティン

❶ I don't recommend you **invest in** these stocks.
　　　　　　　　　　　　　investin
（これらの株への投資はお薦めではないです）

❷ You should **invest in** renewable energy companies.
　　　　　　 investin
（再生可能エネルギーの企業へ投資したほうがいいです）

❸ Should I **invest in** gold or real estate?
　　　　　 investin
（金あるいは不動産に投資したほうがいいでしょうか？）

cut out 実際はこう聞こえる→ cudouッ 🔊 カダウッ

❶ You can **cut out** this pattern.
　　　　　 cudouッ
（このパターンは省略可能です）

❷ He is **cut out** for a job in sales.
　　　　 cudouッ
（彼は営業の仕事に向いています）

❸ They **cut out** the free coffee at lunchtime.
　　　　 cudouッ
（彼らはランチの無料コーヒーサービスをやめました）

but our 実際はこう聞こえる ➡ buh dour 🔊 バダワ

❶ But our business depends on these customers!
　　buh dour
（しかし私たちの仕事はこの顧客たちにかかっています！）

❷ We are poor but our spirit is rich.
　　　　　　　　　buh dour
（私たちは貧しいけれど、心は豊かです）

❸ Risks are high but our mind is set.
　　　　　　　　buh dour
（ハイリスクですが、私たちの心の準備はできています）

not us 実際はこう聞こえる ➡ nah dus 🔊 ナダス

❶ They had the problem, not us.
　　　　　　　　　　　　nah dus
（わたしたちではなく、彼らに問題がありました）

❷ If not us, then who?
　　　nah dus
（もし私たちでないなら、誰でしょうか？）

❸ The profits should go to them, not us.
　　　　　　　　　　　　　　　　nah dus
（私たちではなく、彼らに利益が与えられるべきです）

センテンスで耳トレ

let her 実際はこう聞こえる→ leder 🔊 レダ⊖

❶ We should **let her** go.
　　　　　　　leder
（私たちは彼女を行かせたほうがいいです）

❷ Please don't **let her** fail.
　　　　　　　　leder
（彼女に失敗させないようにしてください）

❸ They didn't **let her** get away.
　　　　　　　　leder
（彼らは彼女を逃げさせませんでした）

most of 実際はこう聞こえる→ mous tuv 🔊 モスタヴ

❶ **Most of** my friends are working.
　　mous tuv
（友だちの多くは働いています）

❷ I am happy **most of** the time.
　　　　　　　　mous tuv
（私は大概幸せです）

❸ Make **most of** the situation.
　　　　mous tuv
（その状況を最大限に利用してください）

❗ product of のカタカナ発音🔊のところ、通常日本語で言う「口」とは異なる音のため㋺と表示してあります。

product of 実際はこう聞こえる➡ **produc tuv**
🔊 プ㋺ダクタヴ

❶ This is a **product of** Spain.
　　　　　　produc tuv
（これはスペイン産の商品です）

❷ I'm a **product of** the Heisei era.
　　　　produc tuv
（私は平成生まれです）

❸ We received the Best New **Product of** the Year award.
　　　　　　　　　　　　　　produc tuv
（私たちは、年間最優秀新商品賞をいただきました）

feet of 実際はこう聞こえる➡ **fee tuv** 🔊 フィータヴ

❶ New York had two **feet of** snow.
　　　　　　　　　　fee tuv
（ニューヨークでは雪が2フィート積もりました）

❷ The building had 10,000 square **feet of** space.
　　　　　　　　　　　　　　　　　fee tuv
（その建物の広さは、10,000平方フィートです）

❸ He washed the **feet of** the spiritual leader.
　　　　　　　　　fee tuv
（彼は精神的指導者の足を洗いました）

センテンスで耳トレ

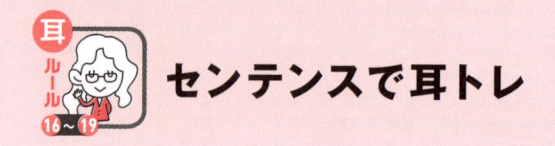

minute of 実際はこう聞こえる▶ mini tuv 🔊 ミニュタヴ

❶ Are we ready for a **minute of** silence?
　　　　　　　　　　　　mini tuv
（黙祷(もくとう)の準備はできていますか?）

❷ Can I have a **minute of** your time?
　　　　　　　mini tuv
（ちょっと時間をもらえますか?）

❸ Let's watch a **minute of** the video.
　　　　　　　mini tuv
（ちょっとビデオを見てみよう）

president of 実際はこう聞こえる▶ preziden tuv 🔊 プレジデンタヴ

❶ Next is the **president of** our company.
　　　　　　preziden tuv
（次は弊社の社長です）

❷ Who is the **president of** Costa Rica?
　　　　　　preziden tuv
（コスタリカの大統領は誰ですか?）

❸ She is the **president of** this university.
　　　　　　preziden tuv
（彼女はこの大学の学長です）

! president of、friend of のカタカナ発音🔊のところ、通常日本語で言う「レ」とは異なる音のため Ⓛ と表示してあります。

2-15
ゆっくり ▶ ナチュラル

tired of 実際はこう聞こえる➡ **tyer duv** 🔊 タイⒶダヴ

第3章

❶ He's **tired of** eating ramen everyday.
　　　 tyer duv
（彼は毎日ラーメンを食べることに飽きています）

❷ They were **tired of** waiting.
　　　　　　 tyer duv
（彼らは待ちくたびれていました）

❸ I'm **tired of** living in a big city.
　　　 tyer duv
（大都市での生活にうんざりしています）

friend of 実際はこう聞こえる➡ **fren duv** 🔊 フレⓁンダヴ

❶ He is a **friend of** mine.
　　　　　 fren duv
（彼は私の友人です）

❷ I am looking for a **friend of** hers.
　　　　　　　　　　 fren duv
（私は彼女の友だちを探しています）

❸ She is the **friend of** the bride.
　　　　　　 fren duv
（彼女は新婦の友だちです）

センテンスで耳トレ

stupid of 実際はこう聞こえる→ **stoo piduv**
🔊 ストゥーピダヴ

❶ That was **stupid of** her.
　　　　　　　stoo piduv
（あんなことをするなんて彼女は愚かでした）

❷ Oh, that was so **stupid of** me!
　　　　　　　　　　stoo piduv
（ああ、私は何て愚かなんだ！）

❸ It was **stupid of** him to cheat on the test.
　　　　　stoo piduv
（テストでカンニングしたなんて彼は愚かでした）

a pound of 実際はこう聞こえる→ **a poun duv**
🔊 アパウンダヴ

❶ I'd like **a pound of** brown sugar, please.
　　　　　a poun duv
（黒砂糖を1ポンドください）

❷ It was **a pound of** Cuban coffee.
　　　　　a poun duv
（1ポンドのキューバコーヒーでした）

❸ An ounce of prevention is worth **a pound of** cure.
　　　　　　　　　　　　　　　　　　　a poun duv
（予防は治療に優ります）

❗ rude of のカタカナ発音🔊のところ、通常日本語で言う「ル」とは異なる音のため㋑と表示してあります。

🎧 2-17
ゆっくり ▶ ナチュラル

kind of 実際はこう聞こえる➡ **kah in duv** 🔊 カインダヴ

❶ It's **kind of** nice.
　　　　kah in duv
（ちょっといいですね）

❷ That is **kind of** true.
　　　　　 kah in duv
（それはある程度本当です）

❸ I'm **kind of** tired today.
　　　 kah in duv
（私は今日ちょっと疲れています）

rude of 実際はこう聞こえる➡ **roo duv** 🔊 ㋑ーダヴ

❶ That was **rude of** her.
　　　　　　 roo duv
（そんなことをしたなんて彼女は失礼ですね）

❷ I'm sorry, that was **rude of** me.
　　　　　　　　　　　roo duv
（申し訳ございません、大変失礼致しました）

❸ How **rude of** him!
　　　　roo duv
（彼は何て無礼な奴なんでしょう！）

センテンスで耳トレ

died of　実際はこう聞こえる→ dai duv　ダイダヴ

❶ Grandfather **died of** old age.
　　　　　　　 dai duv
（祖父は老衰で亡くなりました）

❷ I almost **died of** thirst!
　　　　　　dai duv
（のどが渇いて死にそうでした！）

❸ Is it true that she **died of** laughter?
　　　　　　　　　　　dai duv
（彼女が笑いすぎて死んだというのは本当ですか？）

that's all　実際はこう聞こえる→ tha tsual　ダッツォー

❶ **That's all** for now.
　　tha tsual
（今のところ以上です）

❷ And **that's all** for today, thank you for your attention.
　　　　tha tsual
（今日はこれで終わりです、ご静聴いただきありがとうございます）

❸ **That's all** I have for you today.
　　tha tsual
（今日はこれで終わりです）

❗ jumpers are のカタカナ発音🔊のところ、通常日本語で言う「ー」とは異なる音のため ⊖ と表示してあります。

2-19
ゆっくり ▶ ナチュラル

menus only 実際はこう聞こえる➡ menoo zonly
🔊 メニューゾンリィ

第3章

❶ In this box, **menus only** please.
　　　　　　　menoo zonly
（この箱にはメニューだけを入れてください）

❷ We have vegetarian **menus only**.
　　　　　　　　　　　menoo zonly
（ベジタリアンのメニューのみ取り扱っております）

❸ The restaurant has tasting **menus only**.
　　　　　　　　　　　　　　　menoo zonly
（そのレストランはお任せコースのみとなっています）

jumpers are 実際はこう聞こえる➡ jum per zar
🔊 ジャンパ⊖ザー

❶ The **jumpers are** in the back of the store.
　　　　jum per zar
（ジャンパーは店の倉庫にあります）

❷ Did you say that these **jumpers are** 100% cotton?
　　　　　　　　　　　　　　jum per zar
（このジャンパーはコットン100％と言いましたか？）

❸ Those **jumpers are** ugly!
　　　　jum per zar
（あのジャンパーはダサいです！）

139

センテンスで耳トレ

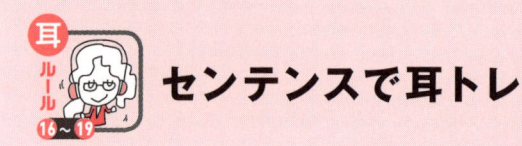

cow's under 実際はこう聞こえる → cow zunder
🔊 カウザンダー

❶ The **cow's under** the tree.
　　　cow zunder
（牛は木の下にいます）

❷ That **cow's under** my care.
　　　　cow zunder
（あの牛は私が世話をしています）

❸ This **cow's under**weight.
　　　　cow zunder
（この牛はやせすぎです）

wines under 実際はこう聞こえる → wahin zunder
🔊 ワインザンダー

❶ The **wines under** ¥2000 are here.
　　　wahin zunder
（2000円以下のワインはこちらになります）

❷ The **wine's under** the table.
　　　wahin zunder
（ワインはテーブルの下にあります）

❸ They sell **wines under** many labels.
　　　　　　wahin zunder
（多くのブランド名でワインが売られています）

❗ **Joe's early** のカタカナ発音 🔊 のところ、通常日本語で言う「ー」とは異なる音のため ⊖ と表示してあります。

🔊 2-21
ゆっくり ▶ ナチュラル

Joe's early 実際はこう聞こえる➡ **Joh zerly**
🔊 ジョーズア⊖リィ

❶ **Joe's early** today!
　　Joh zerly
（ジョーは今日早いね！）

❷ **Joe's early** career included being a tour guide.
　　Joh zerly
（ジョーの初期の仕事にはツアーガイドが含まれていました）

❸ **Joe's early** life was difficult.
　　Joh zerly
（ジョーは若い頃苦労しました）

cups of 実際はこう聞こえる➡ **cuッsuv** 🔊 カッサヴ

❶ How many **cups of** milk do you need?
　　　　　　　 cuッsuv
（牛乳は何カップ必要ですか？）

❷ I use two **cups of** flour.
　　　　　　cuッsuv
（カップ2杯分の小麦粉を使います）

❸ I've had too many **cups of** coffee today.
　　　　　　　　　　cuッsuv
（今日はコーヒーを飲みすぎた）

センテンスで耳トレ

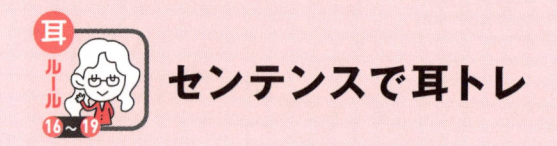

(2-22) ゆっくり ▶ ナチュラル

yes or 実際はこう聞こえる➡ ye sor 🔊 イエソア

❶ Tell me **yes or** no.
　　　　　ye sor
（いいのか、ダメなのか教えて）

❷ Well, is it **yes or** no?
　　　　　　　ye sor
（では、「はい」ですか、それとも「いいえ」ですか？）

❸ There were ten **yes or** no questions on the survey.
　　　　　　　　 ye sor
（調査には、「はい」か「いいえ」で答える質問が10個ありました）

has any 実際はこう聞こえる➡ ha zeny 🔊 ハゼニィ

❶ **Has any**one knocked on your door?
　 ha zeny
（誰かあなたの部屋のドアをノックした人はいますか？）

❷ **Has any** student passed the class?
　 ha zeny
（その授業の単位をもらった生徒はいますか？）

❸ **Has any** other country been to the moon?
　 ha zeny
（他に月へ行った国はありますか？）

❗ he's another のカタカナ発音🔊のところ、通常日本語で言う「ー」とは異なる音のため⊖と表示してあります。th の発音にもご注意ください。

2-23
ゆっくり ▶ ナチュラル

he's another 実際はこう聞こえる → **hee zanuthr**
🔊 ヒザナ㊥⊖

❶ **He's another** gardener.
　　hee zanuthr
（彼は別の庭師です）

❷ **He's another** one in love with her.
　　hee zanuthr
（彼は彼女に愛情を抱いているもう一人です）

❸ **He's another** singer to watch out for.
　　hee zanuthr
（彼もそのうち大ブレークするかもしれない歌手だ）

it's inside 実際はこう聞こえる → **itsinsai**
🔊 イッツィンサイ

❶ **It's inside** the refrigerator.
　　itsinsai
（それは冷蔵庫の中にあります）

❷ Are you sure **it's inside** the room?
　　　　　　　　　itsinsai
（それが部屋の中にあるのは確かですか？）

❸ **It's inside** the outer pocket.
　　itsinsai
（外側のポケットの中にあります）

143

センテンスで耳トレ

phone's on 実際はこう聞こえる → fonzon 🔊 フォンゾン

❶ The **phone's on** the table.
　　　fonzon
（電話はテーブルの上にあります）

❷ My **phone's on**, not off.
　　　fonzon
（私の電話は電源がオフではなくオンになっています）

❸ The **phone's on** sale now.
　　　fonzon
（その電話は現在セール中です）

one of 実際はこう聞こえる → wu nuv 🔊 ワナヴ

❶ **One of** my friends went to Galapagos.
　wu nuv
（私の友人の一人はガラパゴス諸島に行きました）

❷ That was **one of** the biggest movies of the year.
　　　　　　wu nuv
（あれは、その年大ヒットした映画の一つです）

❸ She is **one of** a kind.
　　　　wu nuv
（彼女は個性派です）

none of 実際はこう聞こえる→ nun nuv 🔊 ナナヴ

❶ That's **none of** your business!
　　　　　 nun nuv
（それは君に関係のないことです！）

❷ The answer was "**None of** the above."
　　　　　　　　　　　 nun nuv
（答えは「どれも当てはまらない」です）

❸ **None of** them are cheap.
　　nun nuv
（それらはどれも安くないです）

ahead of 実際はこう聞こえる→ a heh duv 🔊 アヘダヴ

❶ Please go **ahead of** me.
　　　　　　　 a heh duv
（どうぞお先に行ってください）

❷ I will make the salad **ahead of** time.
　　　　　　　　　　　　　　 a hch duv
（前もってサラダを作っておきます）

❸ The products were **ahead of** their time.
　　　　　　　　　　　　 a heh duv
（その商品は時代を先取りしていました）

145

センテンスで耳トレ

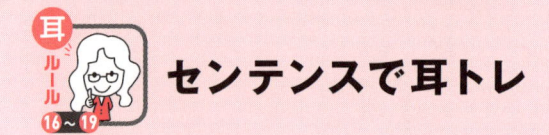

back of 実際はこう聞こえる → bakuv 🔊 バコヴ

❶ They are in **back of** you.
　　　　　　　　bakuv
（彼らはあなたの後ろにいます）

❷ It's on the **back of** the pamphlet.
　　　　　　bakuv
（パンフレットの裏に載っています）

❸ The numbers are written on the **back of** the envelope.
　　　　　　　　　　　　　　　　　　bakuv
（封筒の裏側に数字が記載されています）

afraid of 実際はこう聞こえる → afrey duv 🔊 アフレィダヴ

❶ I'm not **afraid of** ghosts.
　　　　　afrey duv
（私は幽霊を恐れていません）

❷ Don't be **afraid of** the unknown.
　　　　　　afrey duv
（未知のことを恐がらないでください）

❸ Are you **afraid of** me?
　　　　　　afrey duv
（あなたは私のことを恐れているのですか？）

❗ afraid of のカタカナ発音🔊のところ、通常日本語で言う「レ」とは異なる音のためⓁと表示してあります。

🎧 2-27
ゆっくり ▶ ナチュラル

out of 実際はこう聞こえる➡ au duv 🔊 アウダヴ

❶ Let get **out of** here!
　　　　　au duv
（ここから出ましょう！）

❷ We are **out of** danger now.
　　　　　au duv
（私たちは今危機を脱しました）

❸ He is **out of** the office right now.
　　　　au duv
（彼は今オフィスにいません）

piece of 実際はこう聞こえる➡ pee suv 🔊 ピーソヴ

❶ It's a **piece of** cake!
　　　　　pee suv
（そんなの朝飯前です！）

❷ The teacher said to take out a **piece of** paper.
　　　　　　　　　　　　　　　　　　pee suv
（先生は紙を1枚取りだすようにと言いました）

❸ May I have another **piece of** pie?
　　　　　　　　　　　pee suv
（パイをもうひときれいただいてもいいですか？）

147

センテンスで耳トレ

need of 実際はこう聞こえる → nee duv 🔊 ニーダヴ

❶ I'm in **need of** a big hug.
　　　　　　nee duv
（ぎゅっと抱きしめて**ほしい**です）

❷ They are in **need of** food and water.
　　　　　　　nee duv
（彼らには食料と水が**必要**です）

❸ The superstar is in **need of** protection.
　　　　　　　　　　　nee duv
（スーパースターは警護の**必要**があります）

cup of 実際はこう聞こえる → cu puv 🔊 カッパヴ

❶ I'll teach you how to make a perfect **cup of** tea.
　　　　　　　　　　　　　　　　　　　cu puv
（最高の紅茶の作り方を教えましょう）

❷ Please cook a **cup of** rice for me.
　　　　　　　　cu puv
（1**カップ**のお米を炊いてください）

❸ A **cup of** joe means a **cup of** coffee.
　　cu puv　　　　　　　cu puv
（「ア**カップオブ**ジョー」とはコーヒー1**杯**のことです）

❗ care of のカタカナ発音🔊のところ、通常日本語で言う「ア」とは異なる音のため⑦と表示してあります。

🎧 2-29
ゆっくり ▶ ナチュラル

much of 実際はこう聞こえる➡ much uv 🔊 マッチャヴ

❶ That's not **much of** a dish.
　　　　　　much uv
（あれはたいした料理ではないです）

❷ **Much of** the country is flat.
　　much uv
（その国の大半は平らです）

❸ It won't make **much of** a difference.
　　　　　　　　much uv
（それは大してかわらないでしょう）

care of 実際はこう聞こえる➡ keh ruv 🔊 ケ⑦ヴ

❶ Take **care of** your grandmother.
　　　　keh rub
（おばあちゃんの面倒を見てね）

❷ I took **care of** the little bird.
　　　　　keh rub
（小鳥の世話をしました）

❸ Who will take **care of** the orchids while I'm away?
　　　　　　　　keh rub
（私の留守中、誰がランの手入れをするのでしょうか？）

149

センテンスで耳トレ

2-30
ゆっくり ▶ ナチュラル

sound of 実際はこう聞こえる ➡ **soun duv**
🔊 サウンダヴ

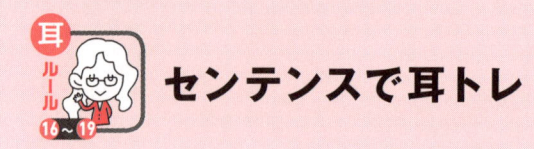

❶ What is the **sound of** silence?
　　　　　　　soun duv
（沈黙の音とはいったい何ですか？）

❷ Her favorite movie is the **Sound of** Music.
　　　　　　　　　　　　　　soun duv
（彼女のお気に入りの映画はサウンドオブミュージックです）

❸ Have you heard the **sound of** this piano?
　　　　　　　　　　soun duv
（このピアノの音を聞きましたか？）

think of 実際はこう聞こえる ➡ **thin kuv**
🔊 ㋚ィンカヴ

❶ I can't **think of** anything right now.
　　　　thin kuv
（いまは何も考えられないです）

❷ Please **think of** a good excuse.
　　　　thin kuv
（うまい言い訳を考えてください）

❸ Give me a minute and I will **think of** something.
　　　　　　　　　　　　　　　thin kuv
（1分くれれば何か思いつきます）

Check! 長い文章を聞いてみましょう。

ホテルジャンキー

I'm a hotel junkie. I like hotels with doormen who welcome me saying, "**Come in**." Many hotels around the world often have a big bowl of apples near the reception counter. This is not just decoration. When customers **check in** or **check out**, for example, the receptionist may select an apple and say, "**Taste it! This apple** is delicious." I will then smile and bite into it. If it's good, I will take one more and put it in my jacket pocket before I **take off** for my room or my next destination. Hospitality is about such small things, isn't it?

私はホテル大好き人間です。その中でも、ドアマンが、「お入りください」と歓迎してくれるホテルが好きです。世界中の多くのホテルでは受付の近くにりんごの入ったボールがよくあります。これは単なる飾りではないのです。例えば、お客さんがチェックインあるいはチェックアウトする際に、受付係がりんごを一つ選んで、「食べてみてください！このりんごはおいしいですよ」と言うかもしれません。そのとき私は笑顔でりんごをかじります。もしおいしかったら、もう1ついただいて、ジャケットのポケットに入れてから、自分の部屋、もしくは次の目的地に向かいます。おもてなしとは、こういった小さなことではないでしょうか？

★補足★
check out = che-kout
come in = ca-min
taste it = tays tit
this apple = thisapple
take off = tay koff

国際旅客機のアナウンス、聞き取れるかな？

Listen! 🎧 2-32

雲の切れ間に、マッキンレー山がご覧になれます。

Take a look through (　　　) clouds, you can see Mt. McKinley.

左ページ下の（　　　）は

the

が入りますが、

the ➡ **Da** 🔊 ダ

のように聞こえます。

どうしてそうなるのか？

さっそくページをめくって、
この謎を解いていきましょう。

20 実際の **at the** はなんて聞こえる?

🔊 アッザ?

at the　→（実際はこう聞こえる）→ **atda** 🔊 アッダ

POINT the のような不定冠詞が強く発音されることはほとんどありません。どのように聞こえてくるのか、チェックしましょう。

耳ルール20　弱い音theは前後の単語にかなり影響を受ける

at the　➡　at**d**a　アッ**ダ**

❶頭につくtheも弱い音なので影響を受けやすく、[ダ]に近い音に聞こえます。

the basic functions of a computer
　➡ da**basic**　**ダ**ベイシッ

❶センテンスでも聞いておきましょう。

She turned right **at the** corner.
（彼女は角を右に行った）

Memo　冠詞 a は one、冠詞 the は that が変形した単語です。a は one が略された単語で「ある〜」と訳せます。the は that が略された単語で「あの〜」と訳せます。

21 実際の Not at all はなんて聞こえる?

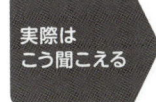

🔊 ノットアットオール?

Not at all　実際はこう聞こえる　➡　Na tat ol
🔊 ナ**ダ**オウ

POINT 連結は2語だけではありません。ここではいよいよ3語の連結が登場。いくつかの英会話頻出フレーズをあらかじめ知っておくだけで、ずいぶん聞き取りやすくなるでしょう。

3語がまるで1語のように聞こえる

❶ 3語であっても、基本ルールは1語、2語と同じです。ここではtが母音と連結し、T→D化［ラ行化］します。

Not at all　➡　Na tat ol　ナダオウ

❷ センテンスでも聞いておきましょう。

Not at all. （いいえ、少しも）

Memo 3語が1語に聞こえるような連結は、決まり文句のようなフレーズが多い。

22 実際の salt and pepper はなんて聞こえる？

（ソルトアンドペッパー？）

salt and pepper 実際はこう聞こえる ➡ **salten pepper** ソルテンペッパー

POINT 接続詞 and でつながった3語です。連結で生じる音の変化にも、一定のパターンがあるので、覚えてしまえばカンタンです。

ルール22 andはきわめて弱く発音 ➡ 前後が連結

salt and pepper ➡ salten pepper ソルテンペッパー

❶接続詞orも同様の連結が見られます。
fish or chicken ➡ fi shor chicken
フィッシュオーチキン

❶センテンスでも聞いておきましょう。
Pass me the **salt and pepper**.（塩とこしょうを取って）

Memo and の d は子音の破裂音ですね。「ッ」という音でない音で、ほとんど聞こえません。

23 実際の taking a はなんて聞こえる?

🔊 テイキングア?

taking a →(実際はこう聞こえる)→ teikina
🔊 テイキナ

POINT 接続詞 and が関わる連結に似た現象が「進行形 ing + 母音」で発生します。g の音がスルーされます。

耳ルール23 t,d,g,p など破裂音は音にならずブリッジ連結

taki**ng a** (ブリッジ連結)

❶ つづく冠詞 a は破裂音 g の前にある n と結びつく

taki**ng a** → taki**na**	テイキナ
cooki**ng a** → cooki**na**	クッキナ
jumpi**ng a** → jumpi**na**	ジャンピナ

❷ センテンスでも聞いておきましょう。

She went to bed after taking a bath.
(彼女はお風呂のあと、寝ました)

Memo 子音 g も破裂音。聞こえない音だから、g をスルーして、n と a が連結するパターン。

センテンスで耳トレ

in the 実際はこう聞こえる → inda(e) 🔊 インダ(ディ)

❶ The company is **in the** red.
　　　　　　　　　　inda
（その企業は赤字です）

❷ Everything was perfect **in the** end.
　　　　　　　　　　　　　inde
（最終的には全て完璧でした）

❸ I was sitting **in the** middle.
　　　　　　　　inda
（私は真ん中に座っていました）

on the 実際はこう聞こえる → onda 🔊 オンダ

❶ I think your glasses are **on the** shelf.
　　　　　　　　　　　　　　onda
（あなたの眼鏡は棚の上にあると思います）

❷ Try to look **on the** bright side!
　　　　　　　onda
（明るいほうを見るようにして！）

❸ I am **on the** fence.
　　　　onda
（私はどっちつかずの状態です）

at the 実際はこう聞こえる→ atda(e) 🔊 アッダ（ディ）

❶ Leave a message **at the** beep.
　　　　　　　　　　atda
（ビーという発信音が鳴りましたらメッセージを残してください）

❷ Turn left **at the** intersection.
　　　　　　atde
（その交差点を左に曲がってください）

❸ I left my bag **at the** bus stop.
　　　　　　　　atda
（バス停にカバンを忘れてしまいました）

to the 実際はこう聞こえる→ tooda 🔊 トゥダ

❶ Let's go **to the** flea market on Sunday.
　　　　　tooda
（日曜日にフリーマーケットに行きましょう）

❷ Have you been **to the** new house?
　　　　　　　　tooda
（新居には行きましたか？）

❸ I love the movie, "Back **to the** Future."
　　　　　　　　　　　　　tooda
（私の好きな映画は、「バックトゥーザフューチャー」です）

第3章

159

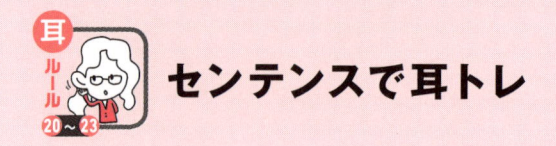

センテンスで耳トレ

ルール 20〜23

2-39 ゆっくり▶ナチュラル

from the 実際はこう聞こえる➡ fromda 🔊 フロムダ

❶ I copied it **from the** textbook.
　　　　　　　fromda
（私は教科書からそれをコピーしました）

❷ This cocktail is **from the** gentleman at the counter.
　　　　　　　　fromda
（このカクテルはカウンターにいる紳士からです）

❸ Teach me **from the** beginning.
　　　　　fromda
（初めから教えてください）

was the 実際はこう聞こえる➡ wuz da(e) 🔊 ワズダ（ディ）

❶ What **was the** address?
　　　wuz de
（その住所はなんだっけ？）

❷ That **was the** greatest day of my life!
　　　wuz da
（あれは人生で最高の一日でした！）

❸ When **was the** first time?
　　　wuz da
（初めてのときはいつでしたか？）

❗ from the、was the のカタカナ発音🔊のところ、通常日本語で言う「ダ」とは異なる音のため㋪と表示してあります。

🎧 2-40

salt and pepper 実際はこう聞こえる➡ **salten pepper**
🔊 ソルテン ペパー

❶ Please bring me the **salt and pepper**.
　　　　　　　　　　　　　　salten pepper
（塩と胡椒を持ってきてください）

❷ He has **salt-and-pepper** hair.
　　　　　　salten pepper
（彼は胡麻塩頭です）

❸ I like these **salt-and-pepper** shakers.
　　　　　　　　　salten pepper
（この塩コショウのシェーカーが好きです）

books and comics 実際はこう聞こえる➡ **booksen comics**
🔊 ブックセン コミックス

❶ His store sells **books and comics**.
　　　　　　　　　booksen comics
（彼の店では、本とコミックが売られています）

❷ I don't have many **books and comics** at my house.
　　　　　　　　　　　booksen comics
（私の家には本とコミックはあまりありません）

❸ Do you read many **books and comics**?
　　　　　　　　　　booksen comics
（本やコミックをたくさん読みますか？）

センテンスで耳トレ

black and white 実際はこう聞こえる➡ **blacken why**ッ
🔊 ブラッケン ワイッ

❶ Life is not always **black and white**.
　　　　　　　　　　　blacken whyッ
（人生は必ずしも白黒つけられるものではないです）

❷ I usually take **black-and-white** photos.
　　　　　　　　　blacken whyッ
（私はたいてい白黒の写真を撮ります）

❸ He wears a lot of **black and white**.
　　　　　　　　　　　blacken whyッ
（彼は白や黒の服をよく着ます）

skin and bones 実際はこう聞こえる➡ **skinen bonz**
🔊 スキネン ボウンズ

❶ Gandhi was **skin and bones**.
　　　　　　　skinen bonz
（ガンジーはガリガリでした）

❷ You need to eat more! You are **skin and bones**.
　　　　　　　　　　　　　　　　skinen bonz
（あなたはもっと食べなきゃ！ ガリガリだよ）

❸ I'm worried about her because she's **skin and bones**.
　　　　　　　　　　　　　　　　　　　skinen bonz
（彼女やせすぎだから心配だよ）

❶ brick and mortar のカタカナ発音🔊のところ、通常日本語で言う「ー」とは異なる音のため ⊖ と表示してあります。

ends and pieces 　実際はこう聞こえる➡ **enzen peesez**
🔊 エンゼン ピーセズ

❶ What can I do with these **ends and pieces**?
　　　　　　　　　　　　　　　　enzen peesez
（この細切れで何ができるかしら？）

❷ The butcher gave me these bacon **ends and pieces**.
　　　　　　　　　　　　　　　　　　　enzen peesez
（お肉屋さんからベーコンの細切れをもらいました）

❸ This fruit salad was made with **ends and pieces**.
　　　　　　　　　　　　　　　　　　enzen peesez
（このフルーツサラダは、細切れで作りました）

brick and mortar 　実際はこう聞こえる➡ **bricken mortar**
🔊 ブリケン モ⊖ター

❶ It's not a **brick-and-mortar** store.
　　　　　　bricken mortar
（そのお店には実際の店舗がありません）

❷ E-commerce has replaced **brick-and-mortar** stores.
　　　　　　　　　　　　　　bricken mortar
（オンラインショップが実店舗に取って代わってきています）

❸ **Brick and mortar** banking is disappearing, too.
　　bricken mortar
（実店舗の銀行も消えつつあります）

センテンスで耳トレ

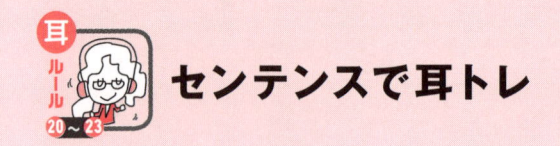

spic and span 実際はこう聞こえる → **spiken span**
🔊 スピッケン スパン

❶ My kitchen is **spic and span**.
　　　　　　　　　spiken span
（私のキッチンは清潔できちんと整頓されています）

❷ Thank you for keeping the room **spic and span**.
　　　　　　　　　　　　　　　　　　spiken span
（部屋をきれいにしていて、ありがとうございます）

❸ How do you keep your place so **spic and span**?
　　　　　　　　　　　　　　　　　spiken span
（家をきれいにしておく秘訣は何でしょうか？）

good and bad 実際はこう聞こえる → **gooden ba**ッ
🔊 グッデン バッ

❶ There's **good and bad** in everything.
　　　　　gooden baッ
（どんなものにも良し悪しはあります）

❷ There is **good and bad** cholesterol.
　　　　　 gooden baッ
（コレステロールには善玉と悪玉の2種類あります）

❸ There are **good and bad** people anywhere.
　　　　　　gooden baッ
（どこにだっていい人と悪い人がいます）

❗ left and right のカタカナ発音🔊のところ、通常日本語で言う「ラ」とは異なる音のため ㋵ と表示してあります。

🎧 2-44
ゆっくり ▶ ナチュラル

left and right　実際はこう聞こえる　**leften rai㋵**
🔊 レフテン ㋵イッ

❶ Remember to look **left and right**.
　　　　　　　　　　　leften rai㋵
（左右を確認するのを忘れないで）

❷ Extreme **left and right** thinking is not desirable.
　　　　　　leften rai㋵
（極端に右寄りあるいは左寄りの考えは望ましくありません）

❸ Show me your **left and right** hand.
　　　　　　　　leften rai㋵
（左右の手を見せてください）

pens and pencils　実際はこう聞こえる　**penzen pensolz**
🔊 ペンゼンペンセオズ

❶ Put your **pens and pencils** away.
　　　　　　penzen pensolz
（筆記用具を片づけてください）

❷ Some people today don't carry **pens and pencils**!
　　　　　　　　　　　　　　　　　penzen pensolz
（最近では筆記用具を持ち歩かない人もいます！）

❸ Do you have any **pens and pencils** here?
　　　　　　　　　　penzen pensolz
（ここに何か筆記用具ありますか？）

165

センテンスで耳トレ

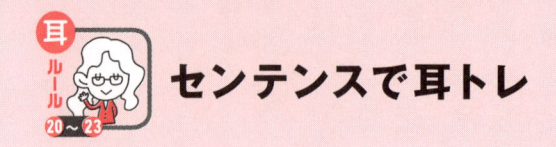

you and me 実際はこう聞こえる➡ **yu en me**
🔊 ユーエンミィ

❶ This is just between **you and me**.
　　　　　　　　　　　　yu en me
（ここだけの話です）

❷ **You and me** will always be together.
　　yu en me
（あなたとわたしはいつまでも一緒にいるよ）

❸ They will ask **you and me** later.
　　　　　　　　　yu en me
（彼らはあとであなたとわたしに質問するでしょう）

knife and fork 実際はこう聞こえる➡ **naifen for**ッ
🔊 ナイフェン フォーッ

❶ Where is my **knife and fork**?
　　　　　　　　naifen forッ
（私のナイフとフォークはどこにありますか？）

❷ Please bring me another **knife and fork**.
　　　　　　　　　　　　　　　naifen forッ
（ナイフとフォークをもう一式持ってきてください）

❸ Do you like my new **knife-and-fork** set?
　　　　　　　　　　　　naifen forッ
（私の新しいナイフとフォークのセットはどう？）

⚠ rice or bread のカタカナ発音🔊のところ、通常日本語で言う「ラ」「レ」とは異なる音のため㋶㋹と表示してあります。year or so の㋶ーにもご注意ください。

🎧 2-46
[ゆっくり] ▶ [ナチュラル]

第3章

rice or bread 実際はこう聞こえる➡ ricor breaッ
🔊 ライソアブ㋹ッ

❶ Would you like **rice or bread**?
　　　　　　　　　　ricor breaッ
（ライスとパン、どちらにいたしましょうか？）

❷ You have a choice of **rice or bread**.
　　　　　　　　　　　　ricor breaッ
（ライスとパンのどちらかを選べます）

❸ **Rice or bread**? That's a hard choice.
　　ricor breaッ
（ライスかパンですか？ 難しい選択ですね）

year or so 実際はこう聞こえる➡ ear orso
🔊 イヤ㋶ーソー

❶ I will be away a **year or so**.
　　　　　　　　　　　ear orso
（一年かそこら離れます）

❷ It will take a **year or so** to finish.
　　　　　　　　　ear orso
（終わるのには1年くらいかかるでしょう）

❸ I hope I can come again in a **year or so**.
　　　　　　　　　　　　　　　　ear orso
（1年くらい経ったらまた来ることができたらと願っています）

167

センテンスで耳トレ

2-47
ゆっくり ▶ ナチュラル

red or blue 実際はこう聞こえる → re dor blu
🔊 レッドアブルー

❶ Is this pen **red or blue**?
　　　　　　　 re dor blu
（このペンは赤ですか、それとも青ですか？）

❷ Which color would you like, **red or blue**?
　　　　　　　　　　　　　　　　re dor blu
（赤と青、どちらの色にしますか？）

❸ Are the new uniforms **red or blue**?
　　　　　　　　　　　　 re dor blu
（新しいユニフォームの色は赤と青のどちらですか？）

olive oil or butter 実際はこう聞こえる → ah leev oylr budder
🔊 アーリーヴォヨオーバダ

❶ For your bread, would you like **olive oil or butter**?
　　　　　　　　　　　　　　　　　 ah leev oylr budder
（パンには、オリーブオイルとバターどちらにいたしましょうか？）

❷ Which is healthier, **olive oil or butter**?
　　　　　　　　　　　 ah leev oylr budder
（オリーブオイルとバターでは、どちらが健康によいのでしょうか？）

❸ I prefer margarine over **olive oil or butter**.
　　　　　　　　　　　　　　ah leev oylr budder
（オリーブオイルやバターよりもマーガリンがいいです）

⚠ coffee or tea のカタカナ発音🔊のところ、通常日本語で言う「オ」とは異なる音のため㋔と表示してあります。

🎧 2-48
ゆっくり ▶ ナチュラル

coffee or tea　実際はこう聞こえる➡ **coffeer tee**
🔊 カフィ㋔ティー

❶ **Coffee or tea** for you?
　　　coffeer tee
（コーヒーと紅茶どちらにいたしますか？）

❷ **Coffee or tea**, which would you like today?
　　　coffeer tee
（今日はコーヒーと紅茶、どちらにいたしますか？）

❸ No **coffee or tea** for me.
　　　　　coffeer tee
（コーヒーも紅茶も結構です）

black or with milk　実際はこう聞こえる➡ **blakor withmioッ**
🔊 ブラッカアウィ㋩ミオッ

❶ Would you like your coffee **black or with milk**?
　　　　　　　　　　　　　　　　blakor withmioッ
（コーヒーはブラックと、ミルク付きのコーヒーのどちらにしますか？）

❷ How do you take it, **black or with milk**?
　　　　　　　　　　　　blakor withmioッ
（コーヒーはブラックと、ミルク付きのコーヒーのどちらにしますか？）

❸ Coffee, **black or with milk**?
　　　　　　blakor withmioッ
（コーヒーはブラックと、ミルク付きのコーヒーのどちらにしますか？）

センテンスで耳トレ

now or never 実際はこう聞こえる➡ nowor never
🔊 ナウォアネヴァ⊖

❶ It's now or never. It's time to decide.
　　　 nowor never
（今しかないです。決断のときです）

❷ Marry me, it's now or never.
　　　　　　　　 nowor never
（これが最後です、私と結婚してください）

❸ It is now or never for the two sides to come together.
　　　　 nowor never
（両者が団結するのは今しかないです）

young or old 実際はこう聞こえる➡ younger ol'
🔊 ヤンガ㋐オーゥ

❶ It doesn't matter if she's young or old.
　　　　　　　　　　　　　　　　younger ol'
（彼女が若いか若くないかはどうでもいいことです）

❷ Was he young or old?
　　　　　 younger ol'
（彼は若かったですか、それとも年老いていましたか？）

❸ Everyone is welcome, whether they are young or old.
　　　　　　　　　　　　　　　　　　　　 younger ol'
（若い人、年をとっている人、誰でも大歓迎です）

❗ young or old、aisle or window のカタカナ発音🔊のところ、通常日本語で言う「ア」とは異なる音のため ⑦ と表示してあります。

🎧 2-50
ゆっくり ▶ ナチュラル

cash or card 実際はこう聞こえる→ cashor carッ
🔊 キャッショアカ⑦ッ

❶ **Would you like to pay by cash or card?**
　　　　　　　　　　　　　　　cashor carッ
（現金で払いますか、それともカードで払いますか？）

❷ **Are you paying by cash or card this evening?**
　　　　　　　　　　　　cashor carッ
（今夜は現金で払いますか、それともカードで払いますか？）

❸ **Cash or card?** Neither.
　　cashor carッ
（現金またはカードですか？ どちらでもありません）

aisle or window 実際はこう聞こえる→ ailor window
🔊 アイロ⑦ウィンドゥ

❶ **Would you like an aisle or window seat?**
　　　　　　　　　　　　ailor window
（通路側の座席と窓側の座席、どちらにいたしましょうか？）

❷ **Aisle or window seat for you, sir?**
　　ailor window
（通路側の座席と窓側の座席、どちらにいたしましょうか？）

❸ **In first class, which is better, aisle or window?**
　　　　　　　　　　　　　　　　　　ailor window
（ファーストクラスの場合、窓側の座席と通路側の座席ではどちらのほうがいいのでしょうか？）

171

センテンスで耳トレ

here or to go　実際はこう聞こえる → here ortago
🔊 ヒアオータゴゥ

❶ Is your order for **here or to go**?
　　　　　　　　　　　here ortago
（こちらでお召し上がりになりますか、それともお持ち帰りにいたしますか？）

❷ Would you like that for **here or to go**?
　　　　　　　　　　　　　　here ortago
（こちらでお召し上がりになりますか、それともお持ち帰りにいたしますか？）

❸ Do you want that pizza for **here or to go**?
　　　　　　　　　　　　　　　　here ortago
（ピザはこちらでお召し上がりになりますか、それともお持ち帰りにいたしますか？）

fries or mashed　実際はこう聞こえる → fryz or masht
🔊 フライゾアマッシュ(トゥ)

❶ **Fries or mashed**?
　　fryz or masht
（フライドポテトにいたしますか、それともマッシュポテトにいたしますか？）

❷ Would you like French **fries or mashed** potatoes?
　　　　　　　　　　　　　　　fryz or masht
（フライドポテトにいたしますか、それともマッシュポテトにいたしますか？）

❸ You have a choice of **fries or mashed**.
　　　　　　　　　　　　　　fryz or masht
（フライドポテト、またはマッシュポテトをお選びいただけます）

⚠ here or to go のカタカナ発音🔊のところ、通常日本語で言う「ー」とは異なる音のため⊖と表示してあります。

2-52
ゆっくり ▶ ナチュラル

taking a 実際はこう聞こえる➡ teikina 🔊 テイキナ

❶ I was just **taking a** short nap.
　　　　　　　 teikina
（私は少し居眠りをしていました）

❷ He was **taking a** break.
　　　　　 teikina
（彼は休憩を取っていました）

❸ They were **taking a** picture of the bridge.
　　　　　　　 teikina
（彼らは橋の写真を撮っていました）

booking a 実際はこう聞こえる➡ bookina 🔊 ブッキナ

❶ Is **booking a** flight online easy?
　　　 bookina
（オンラインでの飛行機の予約は簡単ですか？）

❷ Do you think **booking a** cruise will make her happy?
　　　　　　　　 bookina
（クルーズ船を予約したら彼女は喜びますか？）

❸ **Booking a** hotel on that website takes time.
　　 bookina
（あのサイトでのホテルの予約は時間がかかります）

第3章

173

センテンスで耳トレ

flying a 実際はこう聞こえる▶ flyina 🔊 フラインナ

❶ How about **flying a** kite?
　　　　　　　flyina
（凧揚げしたら？）

❷ When I grow up, I'm **flying a**n airplane!
　　　　　　　　　　　　　flyina
（大きくなったら飛行機を飛ばすんだ！）

❸ They are **flying a** drone.
　　　　　　flyina
（彼らはドローンを飛ばしている）

catching a 実際はこう聞こえる▶ cachina 🔊 キャチンナ

❶ I think I am **catching a** cold.
　　　　　　　　cachina
（私、カゼをひいたみたい）

❷ He is **catching a** big fish.
　　　　　cachina
（彼は大きな魚を捕まえた）

❸ The cat is **catching a** mouse.
　　　　　　　cachina
（その猫はネズミを捕まえた）

⚠ writing a のカタカナ発音🔊のところ、通常日本語で言う「ラ」とは異なる音のため㋶と表示してあります。

🎧 2-54
ゆっくり ▶ ナチュラル

writing a 実際はこう聞こえる➡ raitina
🔊 ㋶イティナ

❶ I was just **writing a** letter to you.
　　　　　　　raitina
（ちょうどあなた宛の手紙を書いていました）

❷ He was **writing a** business plan when you called.
　　　　　raitina
（あなたが電話してきたとき、彼は事業計画書を書いていました）

❸ I am **writing a** novel.
　　　　raitina
（私は小説を執筆中です）

第3章

国際旅客機のアナウンス、聞き取れるかな？

Listen!

🎧 2-55

ただいまより、機内サービスについてご案内させていただきます。

At this time, (　　　　) inform you of our in-flight entertainment service.

左ページ下の（　　　）は

I'd like to

が入りますが、

I'd like to

➡ **Alaikta** 🔊 アライクタ

に聞こえます。

早口だと聞き取りにくいですね。

さっそくページをめくって、
音に慣れる方法を見つけていきましょう。

24 実際の Would you はなんて聞こえる?

🔊 ウッドユー?

Would you → **Wuju** ウジュ

実際はこう聞こえる

POINT would は、あとに続く代名詞 you と結びつきます。このときも would の d を「ド」と認識していてはいけません。子音の d です。

耳ルール 24 Would you は[ウジュ]と1語のように聞こえる

Woul**d you** ➡ Wu**ju**　ウジュ

❶ d + you の連結はどれも［ジュ］となります。

Coul**d you** ➡ Cu**ju**　クジュ
Di**d you** ➡ Di**ju**　ディジュ
tol**d you** ➡ to**ju**　トウジュ

❶ センテンスでも聞いておきましょう。

Would you bring another blanket?
（もう一枚毛布を持ってきていただけますか？）

Memo　behind you（あなたの後ろに）、find you（あなたを見つける）なども［ジュ］の音が潜んでいます。

25 実際の What are you はなんて聞こえる?

🔊 ホワットアーユー？

What are you → **Wadaya** 🔊 ワダヤ

実際はこう聞こえる

POINT 代名詞 you は前後の単語と連結しやすい。それではこの3語はどうでしょうか。こちらもまるで1語のように聞こえます。

耳ルール25 What are you は Wadaya と聞こえる

Wha**t are y**ou ➡ Wadaya　ワダヤ
　Wa da　ya

❶疑問詞Whatの音は速いので、他の例も要注意です。

Wha**t do y**ou ➡ Wadaya　ワダヤ
Wha**t e**lse ➡ Wadeos　ワデオス

❶センテンスでも聞いておきましょう。

What are you doing here?
（ここで何してるんだい？）

Memo 疑問詞 + you といえば、日常英会話の超頻出フレーズ。

26 実際の I got to はなんて聞こえる?

🔊 アイガットトゥー?

I got to → 実際はこう聞こえる → **agada**
🔊 アガダ

POINT ここでは to 不定詞との連結音を学びます。はたしてどんな音に変化するのでしょうか。

耳ルール26 I が [ア] としか聞こえないときがある

I ➡ a

❗got to は早口の場合、[ガナ] と聞こえます。

I got to	➡ agada	アガダ
I used to	➡ ayusta	アユースタ
I have to	➡ ahafta	アハフタ

❗センテンスでも聞いておきましょう。

I got to go now. (もう行かなきゃ)

Memo to も速く言うと、ta のように変化します。

27 実際の want to はなんて聞こえる?

🔊 ウォントトゥー?

want to　実際はこう聞こえる　➡　wana
🔊 ワナ

POINT ここでは、話すときに短縮される2つの例に触れます。want to、going to の2つが顕著です。

want to は wana と短縮

want to ➡ wana　ワナ

❶ going to も口語短縮形です。
going to ➡ gona　ガナ

❶ センテンスでも聞いておきましょう。
I **want to** go back soon.　(もう戻りたい)

Memo I want to は［アワナ］で覚えましょう。

28 実際の must have been はなんて聞こえる?

マストハブビーン?

must have been → **mustabin** マスタビン

実際はこう聞こえる

POINT mustのように助動詞＋haveの連結はあらかじめ知っておかないと聞き取れません。1語のように聞こえる音を文脈の中でキャッチできるようになりましょう。

ルール28 must haveが連結するとveがほぼ聞こえない

must have been (〜だったにちがいない)	→ mustabin	マスタビン
should have been (〜すべきだった)	→ shudabin	シュダビン
could have been (〜できたのに)	→ cudabin	クダビン

❗must have beenは「〜だったにちがいない」という意味でよく会話で出てきます。

❗センテンスでも聞いておきましょう。

It **must have been** difficult. (大変だったでしょう)

Memo 助動詞＋過去完了のhave＋beenの形です。意味も確認しておきましょう。

センテンスで耳トレ

ルール 24〜28

2-61
ゆっくり ▶ ナチュラル

would you 実際はこう聞こえる ➡ wuju 🔊 ウジュ

❶ **Would you** go to the farmer's market with me?
　　wuju
（私といっしょにファーマーズマーケットに行っていただけますか？）

❷ **Would you** show me how to do it?
　　wuju
（それのやり方を教えていただけますか？）

❸ **Would you** believe me if I told you I saw a UFO?
　　wuju
（UFOを見たと言ったら信じてくれますか？）

could you 実際はこう聞こえる ➡ cuju 🔊 クジュ

❶ **Could you** hold this for me?
　　cuju
（これを持っていただいてもよろしいでしょうか？）

❷ **Could you** help me?
　　cuju
（手伝っていただけますか？）

❸ **Could you** watch TV in the other room?
　　cuju
（別の部屋でテレビを見ていただけませんか？）

第3章

183

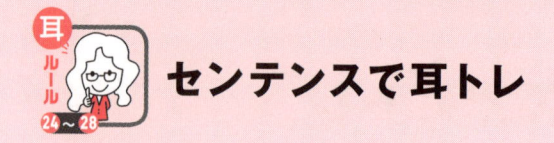

センテンスで耳トレ

did you 実際はこう聞こえる➡ diju 🔊 ディジュ

❶ **Did you** bring the books?
　　diju
（それらの本を持ってきましたか？）

❷ **Did you** see Abby?
　　diju
（アビーを見ましたか？）

❸ **Did you** plant the flowers yourself?
　　diju
（その花は自分で植えたのですか？）

had you 実際はこう聞こえる➡ haju 🔊 ハジュ

❶ **Had you** gone to the airport, you would have been stuck!
　　haju
（あなたは空港に行っていたら、足止めされていたでしょう！）

❷ **Had you** seen the film before?
　　haju
（以前その映画を見ましたか？）

❸ It was wonderful to have **had you** with us last night.
　　　　　　　　　　　　　　　　　haju
（昨夜、私たちはあなたと素敵な時間を過ごすことができました）

find you 実際はこう聞こえる→ fai nju 🔊 ファインジュ

❶ I couldn't find you!
　　　　　　　fai nju
（私はあなたを見つけることができませんでした！）

❷ True love will find you.
　　　　　　　　fai nju
（本物の愛があなたのところへおとずれます）

❸ This app will find you a good restaurant.
　　　　　　　　fai nju
（このアプリを使えば、いいレストランが見つかります）

checked you 実際はこう聞こえる→ chek ju 🔊 チェックジュ

❶ They checked you into a suite room.
　　　　　　chek ju
（彼らはあなたにスイートルームを割り当てました）

❷ He checked you out on social media sites.
　　　　　chek ju
（彼はSNSであなたのことを調べました）

❸ "I checked you yesterday," the security guard said.
　　　chek ju
（「昨日あなたのことを調べました」と警備員は言いました）

センテンスで耳トレ

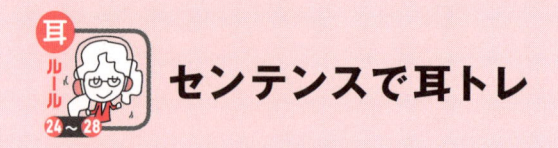

led you 実際はこう聞こえる → leju 🔊 レジュ

❶ The secretary **led you** to a special room.
　　　　　　　　leju
（秘書はあなたを特別室に案内しました）

❷ What **led you** to this conclusion?
　　　　　leju
（どうしてこの結論に達したのですか？）

❸ I have **led you** to the school.
　　　　　leju
（君を学校まで送った）

what are you 実際はこう聞こえる → wadaya 🔊 ワダヤ

❶ **What are you** doing?
　　wadaya
（何をしているのですか？）

❷ **What are you** going to do?
　　wadaya
（何をするのですか？）

❸ **What are you** thinking?
　　wadaya
（何を考えているのですか？）

what do you 実際はこう聞こえる → **wadaya** 🔊 ワダヤ

❶ **What do you** want?
　　　wadaya
（何でしょう？）

❷ **What do you** see?
　　　wadaya
（何を見てるのですか？）

❸ **What do you** mean by that?
　　　wadaya
（それはどんな意味ですか？）

got to 実際はこう聞こえる → **gotta** 🔊 ガタ

❶ He's **got to** find his sunglasses.
　　　　gotta
（彼は自分のサングラスを見つけなければなりません）

❷ I've **got to** leave now.
　　　gotta
（もう行かなければ）

❸ You've **got to** believe!
　　　　gotta
（頼むから信じてください！）

センテンスで耳トレ

been to 実際はこう聞こえる → binta 🔊 ビンタ

❶ I haven't **been to** Finland yet.
　　　　　　　binta
（私はまだフィンランドに行ったことがありません）

❷ I've **been to** that Indian restaurant several times.
　　　　binta
（あのインド料理のレストランには何度か行ったことがあります）

❸ Have you **been to** the Caribbean sea?
　　　　　　binta
（カリブ海に行ったことはありますか？）

jump to 実際はこう聞こえる → jumpta 🔊 ジャンプタ

❶ Don't **jump to** conclusions!
　　　　jumpta
（すぐに結論を出さないで！）

❷ I'm ready to **jump to** advanced calculus.
　　　　　　　jumpta
（高等微積分学に移る準備ができています）

❸ The numbers will never **jump to** such high levels.
　　　　　　　　　　　　jumpta
（数字はそれほど高い水準まで上がらないでしょう）

off to 実際はこう聞こえる→ ofta 🔊 オフタ

❶ She's **off to** the Himalayas again.
　　　ofta
（彼女は再びヒマラヤに行ってしまった）

❷ I'm **off to** school now, Mom.
　　　ofta
（お母さん、学校に行ってきます）

❸ My hat's **off to** you for your amazing work.
　　　　　ofta
（あなたのすばらしい仕事ぶりに脱帽しています）

went to 実際はこう聞こえる→ wenta 🔊 ウェンタ

❶ I **went to** the restaurant but no one was there.
　　　wenta
（レストランに行きましたが、誰もいませんでした）

❷ He **went to** the concert last night.
　　　　wenta
（彼は昨夜そのコンサートに行きました）

❸ They **went to** school on Sunday.
　　　　　wenta
（彼らは日曜日に学校に行きました）

センテンスで耳トレ

ルール 24〜28

2-68
ゆっくり ▶ ナチュラル

wrote to 実際はこう聞こえる → rota 🔊 ロウタ

❶ I **wrote to** him but he didn't return my email.
　　rota
（私は彼にメールを送りましたが、彼は返信してくれませんでした）

❷ I **wrote to** the company president about the problem.
　　rota
（私はその問題について社長に手紙を書きました）

❸ He **wrote to** the teenager.
　　　rota
（彼はその10代の人に手紙を書きました）

listened to 実際はこう聞こえる → lisnta 🔊 リスンタ

❶ We **listened to** the music.
　　　lisnta
（私たちは音楽を聴きました）

❷ I **listened to** her and I'm glad that I did.
　　lisnta
（私は彼女の話に耳を傾けました。そうしてよかったです）

❸ I wish I had **listened to** my father.
　　　　　　　lisnta
（私は父の話を聞いていたらよかったのにと思いました）

> wrote to のカタカナ発音🔊のところ、通常日本語で言う「ロ」とは異なる音のため 🄭 と表示してあります。

wanted to　実際はこう聞こえる➡ **waneta** 🔊 ウォネタ

❶ They **wanted to** go dancing.
　　　waneta
（彼らはダンスをしに行きたかったのです）

❷ I **wanted to** rent my own place.
　　waneta
（私は自分の家を借りたかったです）

❸ He **wanted to** tell her but he couldn't.
　　　waneta
（彼は彼女に話をしたかったのですが、できませんでした）

must have been　実際はこう聞こえる➡ **mustabin** 🔊 マスタビン

❶ I **must have been** asleep.
　　mustabin
（私は寝ていたに違いないです）

❷ He **must have been** crazy!
　　mustabin
（彼は狂っていたに違いないです！）

❸ They **must have been** very hungry.
　　　mustabin
（彼らはとてもお腹が空いていたに違いないです）

センテンスで耳トレ

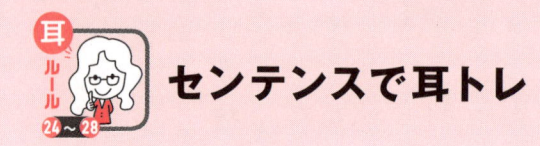

would have been 実際はこう聞こえる → wudabin
🔊 ウダビン

❶ That **would have been** great!
　　　　wudabin
（すごかったでしょうね！）

❷ She **would have been** a superstar if she hadn't given up.
　　　wudabin
（彼女はあきらめていなかったら、スーパースターになっていたでしょう）

❸ My life **would have been** different if I had finished high school.
　　　　　wudabin
（高校を卒業していたら、私の人生は違ったものになっていたでしょう）

should have been 実際はこう聞こえる → shudabin
🔊 シュダビン

❶ We **should have been** first.
　　　shudabin
（私たちが最初だったはずでした）

❷ They **should have been** the most successful group.
　　　　shudabin
（彼らが最も成功したグループだったはずです）

❸ I **should have been** in Denmark by now.
　　　shudabin
（今頃はもうデンマークにいたはずです）

could have been 実際はこう聞こえる→ **cudabin** 🔊 クダビン

❶ They could have been very rich!
  　　　　cudabin
（彼らはとてもお金持ちだった可能性があります！）

❷ I don't like to think about what could have been.
　　　　　　　　　　　　　　　　　　　　cudabin
（どうなっていたのだろうかと考えるのは好きではないです）

❸ She could have been the queen.
　　　　cudabin
（彼女は女王になることができたのに）

might have been 実際はこう聞こえる→ **maitabin** 🔊 マイタビン

❶ She might have been cooking.
　　　　maitabin
（彼女は料理をしていたのかもしれません）

❷ I might have been lucky.
　　　maitabin
（私は運が良かったのかもしれません）

❸ The boys might have been right.
　　　　　　maitabin
（少年たちは正しかったのかもしれません）

センテンスで耳トレ

may have been 実際はこう聞こえる → **mayabin** 🔊 メイアビン

① He **may have been** in the garage.
　　　mayabin
（彼は車庫にいたのかもしれません）

② The garage **may have been** the location.
　　　　　　　mayabin
（場所はガレージだったのかもしれません）

③ I **may have been** there before.
　　mayabin
（私は以前そこにいたのかもしれません）

will have been 実際はこう聞こえる → **willabin** 🔊 ウィラビン

① They **will have been** gone 4 hours now.
　　　　willabin
（彼らがいなくなってからもう4時間になります）

② It **will have been** twenty years since I last saw her.
　　　willabin
（私が最後に彼女に会ってから20年になります）

③ In June, I **will have been** playing in a band for 10 years.
　　　　　　　willabin
（6月で、私がバンドで演奏し続けて10年になります）

比べてキャッチ！ 似ている音

walk 歩く [wɔ́ːk]

work 働く [wə́ːk]

breathe 呼吸する [bríːð]

breeze そよ風 [bríːz]

vote 投票する [vóʊt]

boat ボート [bóʊt]

adopt 採用する [ədápt]	**adapt** 適応させる [ədǽpt]
want ほしい [wánt]	**won't** will notの短縮形 [wóʊnt]
heart 心臓 [hάɚt]	**hurt** 傷つける [hə́ːt]
low 低い [lóʊ]	**law** 法律 [lɔ́ː]

第4章 音の強弱ルール

> **先生おしえて！**

英語はどうして音の強弱があるの？

外国人の人が「こんにちわ」と日本語で言うとき、

> コニチワ

と聞こえませんか？

英語にはアクセントやストレス、イントネーションという音を強調するルールがあります。

それが日本語の「こんにちは」にまで適用されてしまったケースが上記の「コニチワ」なのです。

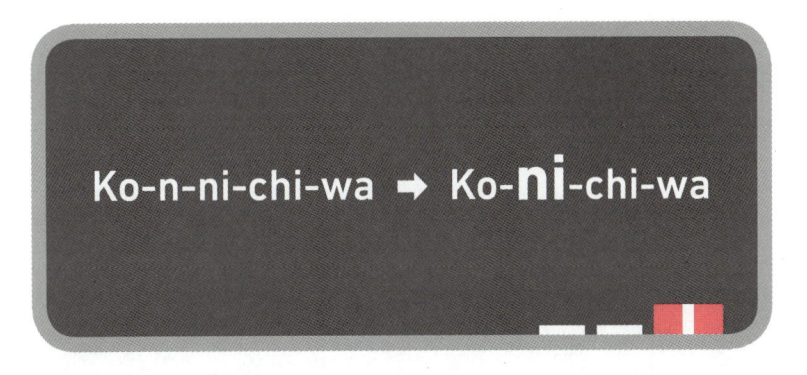

> Ko-n-ni-chi-wa ➡ Ko-**ni**-chi-wa

Ko-n-ni-chi-wa は、5つの音節があります。

この音節の中のどこかにアクセントをつけるのが、英語のクセです。

実際にネイティブスピーカーが発音すると、第2音節と第3音節のnが同じ音だから勝手に1つ省略して、4音節にしてしまいます。できるだけ音節を短くしようという力が働くのも、英語の特色なのです。

そして、ni にアクセントをつけます。

自分は英語の発音が下手なんだ、と思う必要は一切ありません。外国人だって、このように日本語を上手に話せないのですから。

あせらず、ゆっくり上達しましょう。

この章では英語の特徴である音の強弱についてレッスンします。

すべてのルールに共通するのが、

> 英語は強調したい部分を強く言う

その影響でとくに強調したいわけではないところは、弱い音になります。こうして強弱は生まれます。

実はこれはこれまで学んできた音の変化とも密接に関わっています。

たとえば、63ページで学んだ milk のアクセントは［mílk］とiのところにあります。

そうすると、その直後のlは相対的に弱い音になります。

これがもともと聞き取りにくい子音lを、より聞き取りにくくしているのです。だからあらかじめルールを知っておく必要があります。そうすれば、どんなときでも対応できます。

自分で言える音は必ず聞き取れる！

比較的フラット（一本調子）な音の日本語からすると、なかなか強弱には慣れません。

でも、自分でこの強弱をつけた音を言うことができれば、必ず聞き取れるようにもなります。

聞く練習と同時に、言う練習もしてみましょう。

英語の音の強弱を知ることで、英語らしいリズムも身につけることができます。

国際旅客機のアナウンス、聞き取れるかな？

Listen! 2-74

ただいま日付変更線を通過いたしました。

We have (　　　) crossed the International Date Line.

左ページ下の（　　　）は

just 🔊 ジャスト

が入ります。

キャビンアテンダントは、他の単語に比べ、

この just を強く発音しました。

どうして？

それではさっそくページをめくって、この謎を解いていきましょう。

29 実際の can't はなんて聞こえる?

🔊 キャント？

can't → 実際はこう聞こえる → **can**（強）
🔊 キャン

POINT can't の t はほとんど聞こえません。しかし can と can't にはちゃんと聞き分けポイントがあります。

耳ルール29 can'tはcanより強調される、canは次の動詞が強調される

I can **handle**（強） the situation.
（私はその状況を処理できます）

I **can**（強）'t handle the situation.
（その状況は私には手に負えません）

❗can't の t はほとんど聞こえませんが、その分、「can」より「can't」の can の部分が強く言われます。

Memo 「キャン」が耳に強く残る音なら、それは can't と否定しています。

30 実際の That's it. はなんて聞こえる?

（ザッツイット？）

2-76

That's it. → **Dat'si**【強】
（ダッツィ）

実際はこう聞こえる

POINT That's it. にはストレスを置く位置によって2種類の意味があります。

耳ルール30 強く読むところには話し手の意図が隠されている

That's【強】 it.（その通りだ）

- 通常であればThat'sを強調します。

That's **it**【強】.（それでおしまい）

- 語末の代名詞itは音が連結されやすい。つまり、あまり重要でないため、通常なら弱く音を出すはずです。なのに、ここでは強く言っていますね。こうすることで「これが最後」「おしまい」という意図を強調しているのです。

Memo 同じ英文なのに強調するところが違う場合、そこには話し手の意図が含まれます。

センテンスで耳トレ

antique 実際はこう聞こえる → anTIque 🔊 アンティーク

❶ This lamp is an **antique**.
　　　　　　　　　anTIque
（このランプは骨董品です）

❷ I often buy **antique** furniture.
　　　　　　anTIque
（私はアンティーク家具をよく買います）

❸ My friend is opening an **antique** shop
　　　　　　　　　　　　　anTIque
（私の友人はアンティークショップを開いています）

image 実際はこう聞こえる → Image 🔊 イメイジ

❶ That was not the **image** I had.
　　　　　　　　Image
（それは私が描いていたイメージではないです）

❷ The photo is an **image**.
　　　　　　　Image
（写真はイメージです）

❸ This **image** is really wonderful.
　　　Image
（この画像はとても素晴らしい）

❶ engineer、guitar のカタカナ発音🔊のところ、r に対する「ア」「ー」は通常日本語で言う音とは異なりますので、㋐、㋑と表示してあります。

engineer 実際はこう聞こえる➡ EngiNEEr 🔊 エンジニ㋐

❶ **My father was an engineer.**
　　　　　　　　　　　EngiNEEr
（私の父はエンジニアでした）

❷ **I worked as a civil engineer in Tokyo.**
　　　　　　　　　　　　EngiNEEr
（私は東京で土木技師として働きました）

❸ **I asked the engineer for those inspections.**
　　　　　　　　　EngiNEEr
（私はエンジニアにその調査を依頼しました）

guitar 実際はこう聞こえる➡ guiTAr 🔊 ギタ㋑

❶ **Can you play the guitar?**
　　　　　　　　　guiTAr
（あなたはギターを弾けますか？）

❷ **My hobby is playing the guitar.**
　　　　　　　　　　　　　guiTAr
（私の趣味はギターを弾くことです）

❸ **That guitar is broken.**
　　　　guiTAr
（そのギターは壊れている）

センテンスで耳トレ

career 実際はこう聞こえる➡ caREEr 🔊 キャリア

❶ My **career** is very important to me.
　　　ca**REE**r
　（仕事は私にとってとても重要です）

❷ That will definitely help your **career**.
　　　　　　　　　　　　　　　　　ca**REE**r
　（それは必ずキャリアアップになる）

❸ His **career** as a politician is finished.
　　　ca**REE**r
　（政治家としての彼の生涯は終わった）

shampoo 実際はこう聞こえる➡ shamPOO 🔊 シャンプー

❶ I'm going to **shampoo** my hair now.
　　　　　　　　sham**POO**
　（私は今から髪を洗います）

❷ This **shampoo** comes in three sizes.
　　　　sham**POO**
　（このシャンプーは3種類のサイズで売っています）

❸ This **shampoo** comes with a nice hair brush.
　　　　sham**POO**
　（このシャンプーを買うと素敵なヘアブラシがついてきます）

❗ pattern のカタカナ発音🔊のところ、通常日本語で言う「ー」とは異なる音のため⊖と表示してあります。

2-80
ゆっくり ▶ ナチュラル

discount 実際はこう聞こえる DIscount 🔊 ディスカウントッ

❶ Can you give me a **discount**?
　　　　　　　　　　　DIscount
（値引きしてもらえますか？）

❷ I can't **discount** this any further.
　　　　　DIscount
（これ以上、値引きできません）

❸ The **discount** airline went bankrupt.
　　　　DIscount
（その格安航空会社は倒産した）

pattern 実際はこう聞こえる PAttern 🔊 パタ⊖ン

❶ Let's try a different **pattern**.
　　　　　　　　　　　PAttern
（別のパターンも試してみましょう）

❷ This is the **pattern** in fashion.
　　　　　　　PAttern
（これが流行の柄です）

❸ She bought a dress with a flower **pattern**.
　　　　　　　　　　　　　　　　　　PAttern
（彼女は花柄のドレスを買いました）

センテンスで耳トレ

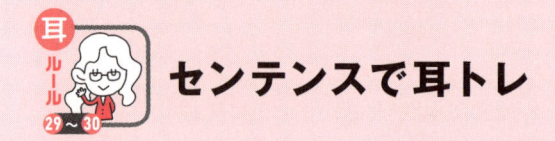

2-81
ゆっくり ▶ ナチュラル

robot 実際はこう聞こえる ➡ RObot 🔊 ロボット

❶ What a cool **robot**!
　　　　　　　RObot
（なんてカッコいいロボットなの！）

❷ He talks like a **robot**.
　　　　　　　　 RObot
（彼はロボットのような話し方をします）

❸ The company developed an industrial **robot**.
　　　　　　　　　　　　　　　　　　　 RObot
（その会社は産業用ロボットを開発した）

remake 実際はこう聞こえる ➡ REmake 🔊 リメイク

❶ The movie is a **remake**.
　　　　　　　　　REmake
（その映画はリメイクです）

❷ I **remake** that contract.
　　 REmake
（私はその契約書を作り直す）

❸ He must **remake** his company.
　　　　　 REmake
（彼は自分の会社をつくり直さなければならない）

❗ robot、remake のカタカナ発音🔊のところ、通常日本語で言う「ロ」、「リ」とは異なる音のため⓪、⓵と表示してあります。

2-82
ゆっくり ▶ ナチュラル

Excuse me. ➡ どこにアクセントを置く？

強
Excuse me. Can I ask a favor of you?

（ごめん、ちょっと頼みごとがあるんだけど）

強
Excuse **me**? I can't hear you.

（え？ なんて言ったの？ 聞こえない）

You will pass the exam.
➡ どこにアクセントを置く？

強
You will **pass** the exam.

（君は試験に通るよ）

強
You **will** pass the exam.

（君はきっと試験に通るよ）

211

比べてキャッチ！ 似ている音

2-83

fan
ファン [fǽn]

fun
楽しさ [fʌ́n]

first
最初の [fə́ːst]

fast
速く [fǽst]

called
call（呼ぶ）の過去形 [kɔːld]

cold
冷たい [kóʊld]

ご注意を！
同じ発音で意味が異なる単語

write 書く [ráɪt]　**right** 右、正しい [ráɪt]

peace 平和 [píːs]　**piece** 断片 [píːs]

tale 物語 [téɪl]　**tail** しっぽ [téɪl]

flower 花 [fláʊɚ]　**flour** 小麦粉 [fláʊɚ]

mail 郵便 [méɪl]　**male** 男性の [méɪl]

wait 待つ [wéɪt]　**weight** 重さ [wéɪt]

巻末特集

聞き取りにくい数字

先生おしえて！

数字を聞き取るコツ

数字を聞きなれているか、そうでないか。
聞き取りのポイントにはまずそれがありますが、
この本で学んできた耳ルールも関係します。

2-85

聞いてみましょう。

thir**t**y	➡	ther dee	🔊 サーディ
for**t**y	➡	for dee	🔊 フォーディ
fif**t**y	➡	fif dee	🔊 フィフディ
six**t**y	➡	six dee	🔊 スィクスディ
seven**t**y	➡	seven dee	🔊 セヴンディ
eigh**t**y	➡	ei dee	🔊 エイディ
nine**t**y	➡	nain dee	🔊 ナイディ
hundre**d**	➡	hun dre	🔊 ハンジュ⑪ッ
thousan**d**	➡	thou zan	🔊 サウザン

t が d に近い音に聞こえるルールや語末の子音が消えるルールがここにも出てきますね。

国際旅客機のアナウンス、聞き取れるかな？

Listen!

2-86

現在、巡航高度 33,000フィート（10,000メートル）を飛行中です。

We are now cruising at an altitude of (　　　) feet, which is 10,000 meters, sky high.

（　　　）は

33,000 が入りますが、

Thirty three thousand

➡ **Thir**d**y three thouza**n

🔊 サーディ スリー サウザン

に聞こえます。

お金の数え方

🎧 2-87

お金の数え方はいろいろあります。

お会計のときに、「〜ドルです」という言い方をせずに、そのまま数字だけを言う場合もけっこう多いのですが、ここでは基本的な言い方の一例を載せましたので、耳からも学んでおきましょう。

ちなみにレジは英語で cashier（キャッシーア）です。❗「シ」を強めに言います。

★ $1=100¢　　$ = dollar（ダラー）　　¢ = cent（セント）

$1.50　➡　one dollar and fifty cents （one fifty でもOK）
$10.50　➡　ten dollars and fifty cents （ten fifty でもOK）
$105　➡　one hundred five dollars （one oh five でもOK）
$150　➡　one hundred and fifty dollars （one fifty でもOK）
$1,050　➡　one thousand and fifty dollars
$1,500　➡　one thousand and five hundred dollars
　　　　　　（fifteen hundred でもOK）

1¢ コインのことを penny（ペニィ）、
10¢ コインのことを dime（ダイム）、
25¢ コインのことを quarter（クォータ―）とも呼びます。

聞き取りにくい数字関係

●知らないと聞き取れない数字　[2-88]

604 7625 (phone number)	➡	six **oh** four ……
005 8891 (phone number)	➡	**double oh** five ……
2 — 0 (football)	➡	Two **nil**
30 — 0 (tennis)	➡	Thirty **love**
0.3 (a number)	➡	**nought** point three （または **zero** point three）
0℃ (temperature)	➡	**zero** degrees

●聞き取りにくい単位　[2-89]

quarter（4分の1）	➡	🔊 クォダー
mile（マイル）	➡	🔊 マイォ
yard（ヤード）	➡	🔊 ヤーッ
foot（フィート）	➡	🔊 フーッ
kilometer（キロメーター）	➡	🔊 キラーメダー
centimeter（センチメーター）	➡	🔊 センティミーダー
meter（メーター）	➡	🔊 ミーダー
millimeter（ミリメーター）	➡	🔊 ミリミーダー
Celsius（セ氏）	➡	🔊 セルシアス
Fahrenheit（カ氏）	➡	🔊 フェアレンハイッ
quart（クォート＝液量の単位）	➡	🔊 クウオーッ
pint（パイント＝液量の単位）	➡	🔊 パインッ
cubic meter（立方メートル）	➡	🔊 キュービッ ミーダッ
liter（リットル）	➡	🔊 リッダー

●分数　　　　　　　　　　　　　　　　　　　　2-90

1/2	➡	one half
1/3	➡	one third
1/4	➡	one quarter（または one fourth）
3/4	➡	three quarters（または three fourths）
5/6	➡	five sixths

●大きな数①　　　　　　　　　　　　　　　　　2-91

1万	➡	ten thousand
10万	➡	one hundred thousand
100万	➡	one million
1000万	➡	ten million
1億	➡	one hundred million
10億	➡	one billion
100億	➡	ten billion
1000億	➡	one hundred billion
1兆	➡	one trillion

●大きな数②　　　　　　　　　　　　　　　　　2-92

1,069	➡	one thousand sixty nine
5,607	➡	five thousand, six hundred and seven
35,989	➡	thirty five thousand nine hundred eighty nine
478,900	➡	four hundred seventy eight thousand nine hundred

● 大きな数 ③

何百もの…	➡	hundreds of...
何千もの…	➡	thousands of...
何万もの…	➡	tens of thousands of...
何十万もの…	➡	hundreds of thousands of...
何百万もの…	➡	millions of...
数千万もの…	➡	tens of millions of...
何億もの…	➡	hundreds of millions of...
何十億もの…	➡	billions of...

● 時刻

8:45	➡	a quarter before nine (eight forty five)
10:15	➡	a quarter after ten (ten fifteen)
10:30	➡	half past ten (ten thirty)
11:40	➡	twenty minutes before twelve (eleven forty)
11:55	➡	five to twelve (eleven fifty-five)

● 郵便番号

860-0909	➡	eight six oh oh nine oh nine (0 は zero でもOK)
444-5577	➡	triple four double five double seven (444 など four four four と1つずつ読んでもOK)

●電話番号 (2-96)

It's 1-800-712-6161. （番号は1-800-712-6161です）	➡	It's one, eight hundred, seven one two, six one six one.
My mobile number is 090-1234-5678. （私の携帯番号は090-1234-5678です）	➡	My mobile number is oh nine oh, one two three four, five six seven eight.

●住所 (2-97)

405 Main Street （メイン ストリート 405 番地）	➡	Four-oh-five Main Street
819 Union Street （ユニオン ストリート819番地）	➡	Eight-nineteen Union Street
2208 Alaskan Way （アラスカン ウェイ2208番地）	➡	Twenty-two oh eight Alaskan Way
5631 Western Avenue （ウェスタン アベニュー5631番地）	➡	Fifty-six thirty-one Western Avenue

●西暦 (2-98)

1906	➡	nineteen oh-six
1999	➡	nineteen ninety-nine
2006	➡	two thousand six (two thousand and six でもOK)
2015	➡	two thousand fifteen (two thousand and fifteen または twenty fifteen でもOK)

● 著者紹介

リサ・ヴォート　Lisa Vogt

アメリカ・ワシントン州生まれ。メリーランド州立大学で日本研究準学士、経営学学士を、テンプル大学大学院にてTESOL（英語教育学）修士を修める。専門は英語教育、応用言語学。2008年からNHKラジオ「英語ものしり倶楽部」講師を務め、現在、「実践ビジネス英語」のテキストを担当。現在、明治大学特任教授、青山学院大学非常勤講師として教鞭を執りながら、異文化コミュニケーターとして新聞・雑誌のエッセイ執筆など幅広く活躍。一方、写真家として世界6大陸50カ国以上を旅する。最北地は北極圏でのシロクマ撮影でBBC賞受賞。最南地は南極大陸でのペンギン撮影。
著書『カナヘイの小動物ゆるっとカンタン英会話』『魔法のリスニング』『魔法の英語 耳づくり』『魔法の英語なめらか口づくり』『100万回ネイティブが使っている英会話決まり文句』『単語でカンタン！旅じょうず英会話』（Jリサーチ出版）ほか多数。

カバーデザイン	土岐晋二
本文デザイン／DTP	ポイントライン
表紙・本文イラスト	イワタケマコト
CD ナレーション	Rachel Walzer
	Chris Koprowski
	都さゆり
ABCソング	Naomi Grace

本書へのご意見・ご感想は下記URLまで　お寄せください。
http://www.jresearch.co.jp/kansou/

英語がどんどん聞き取れる！リスニンガールの耳ルール30

平成27年（2015年）11月10日　初版第1刷発行
平成29年（2017年）2月10日　　第5刷発行

著　者	リサ・ヴォート
発行人	福田富与
発行所	有限会社Jリサーチ出版
	〒166-0002　東京都杉並区高円寺北2-29-14-705
	電　話　03(6808)8801(代)　FAX 03(5364)5310
	編集部　03(6808)8806
	http://www.jresearch.co.jp
印刷所	株式会社 シナノ パブリッシング プレス

ISBN978-4-86392-248-8　禁無断転載。なお、乱丁・落丁はお取り替えいたします。
©2015 Lisa Vogt, All rights reserved.

全国書店にて好評発売中!

元NHKラジオ講師 リサ・ヴォートの
英語リスニング&英会話の本

各CD付、コンパクトサイズ、定価1,000円(本体)

とってもわかりやすいと大評判

J新書17
英語の音がどんどん聞き取れる
魔法のリスニング
英語の耳づくりルール120

CD付

英語の音は2語・3語の連結で聞き取る。初心者でも十分ナチュラルスピードが聞き取れるようになります。日常最も使われる重要表現ばかりを厳選。CDにはゆっくり・ナチュラルスピードの2回読みを収録。

リサ・ヴォート 著
定価1,000円(本体)

(日本テレビ系『世界一受けたい授業』に英語の先生役として出演)

J新書30 **CD付**
ナチュラルスピードがどんどん聞き取れる
もっと魔法のリスニング
英語の耳づくりエクササイズ120

あらかじめ英語の音の変化を知り、短めのセンテンスで聞き慣れておくことでネイティブスピーカーの早口英語が聞き取れる。シンプルな練習法でリスニングの即戦力がつきます。

リサ・ヴォート 著／定価1,000円(本体)

J新書23 **CD付**
映画のセリフもどんどんキャッチできる
魔法の英語 耳づくり
聞き取れない音をゼロにする集中耳トレ120

アルファベットごとに英語特有の聞き取りづらい音の連結・消失パターンを集中トレーニング。ネイティブのナチュラルな会話がしっかり聞き取れる力が身につきます。

リサ・ヴォート 著／定価1,000円(本体)

J新書32 **CD付**
日常から仕事場まで
100万回ネイティブが使っている
英会話決まり文句

ネイティブが毎日よく使う決まり文句を厳選。図解でよくわかる解説と短い会話例つき。CDは日本語→英語の順で収録。聴くだけでも決まり文句をマスターできる。

リサ・ヴォート 著／定価1,000円(本体)

---

http://www.jresearch.co.jp **Jリサーチ出版**
〒166-0002 東京都杉並区高円寺北2-29-14-705
TEL03-6808-8801 FAX03-5364-5310

ツイッター公式アカウント @Jresearch_　アドレス https://twitter.com/Jresearch_